KB032471

온라인 게임의 신부는
여자아이가 아니라고
생각한 거야?
Lv. 6
ineko shibai
키네코 시바이 지음
ill: Hisasi

애플리코트
/고쇼인 쿄우
온라인에서의 애플리코트
과금 지상주의인 마법사(♂).
설마 했던 페어, 설마 했던 방치에
열반 상태.
"오빠……
라……(누구지……?)."
"어, 오빠?!"
루시안/니시무라 히데키
온라인에서의 루시안
방어구 지상주의인 아머 나이트(♂).
남들을 너무 잘 보살펴준 결과가 이 꼴입니다.
슈슈
기본적으로 인사말 온라인 상태인 몽크(♀).
게임 시작 때 루시안이 초보적인 것들을
가르쳐줬다고 하는데……?
Lv97 HP/20949 MP/765
Name Rusian
Job Armor Knight
Sex Male
Atk/83+238 Mat/35+49
Def/130+250 Mdf/74+5
Lv88 HP/6210 MP/1724
Name Ako
Job Cleric
Sex Female?
Atk/49+90 Mat/152+0
Def/73+24 Mdf/126+18
Lv90 HP/14220 MP/476
Name Schwein
Job Sword Dancer
Sex Male?
Atk/141+281 Mat/13+56
Def/79+151 Mdf/39+21
Lv96 HP/14622 MP/5946
Name Apricot
Job Law Wizzard
Sex Male?
Atk/73+150 Mat/493+410×1.8
Def/86+278 Mdf/262+30

앗, 야생의 여동생이
나타났다!
슈바인
/세가와 아카네
온라인에서의 슈바인
화력 지상주의인 소드 댄서(♂).
이 로리 소녀, 평소처럼
페어로 뭉쳐서 기분 최고다.
"에? 에엑?!"
세테
/아키야마 나나코
온라인에서의 세테
가벼운 참가주의인 서머너(♀).
평소처럼 페어로 뭉쳐서 싱글벙글.
수상한 관계가 연상될 정도로
싱글벙글.
아코/타마키 아코
온라인에서의 아코
외모 지상주의인 클레릭(♀).
맞은편에 있는 마스터도
가끔은 떠올려주세요.
Lv48 HP/3600 MP/712
Name Selle
Job Summoner
Sex Female?
Atk/70+132 Mat/98+160
Def/36+161 Mdf/56+19
Lv75 HP/5803 MP/612
Name Shushu
Job Monk
Sex Female?
Atk/79+170 Mat/66+40
Def/78+142 Mdf/81+3

현실세계의 사이토 선생님
연령은 17세하고도 6X개월…… 같은
설명을 하는 것도 바보 같다냐.
이제 그냥 멋대로 하면 된다고 생각한다냐.
현실세계의 세가와 아카네
견본 같은 츤데레 포즈를 보이는 중.
오타쿠 죽어…… 라고 말했던 나날도 아득한 저편.
현실세계의 아키야마 나나코
리얼충 이벤트라면 맡겨줘!
하지만 과연 이 멤버들 속에서
언제까지 눈부신 미소를 지을 수 있을까?

현실세계의
니시무라 히데키
귀가부&취미는 게임인
오픈 오타쿠라는
꽤나 자주 보이는
너희 같은 녀석.
이야아, 부럽네죽어.
현실세계의 타마키 아코
온라인 게임과 현실을 구별하지 못하는
커뮤니케이션 장애 외톨이 걸.
굳이 따지자면 선물을 받는 쪽?
현실세계의 고쇼인 쿄우
돈 쓰는 법을 그르치며 자라온 결과,
현실에서는 「내 친구 너무 적나……?!」
상태가 되어버린 중과금충 아가씨.
온라인 게임부
크리스마스
파티 준비 완료!

And you though there is Never
a girl online?
12月
24
12月
23

크리스마스까지 앞으로 ××일
12月
14
12月
18
12月
20

CONTENTS

And you thought there is Never a girl online?

DESIGNED BY AFTERGROW

온라인 게임의 신부는 여자아이가 아니라고 생각한 거야?

키네코 시바이 지음
Hisasi 일러스트
이경인 옮김

Lv. 6

And you thought there is Never a girl online?
프롤로그
m9

게임은 하루 한 시간만! 이라는 말을 알아?

어, 모른다고?

그렇구나. 뭐, 꽤 옛날이야기이긴 하지.

수십 년 전에 훌륭한 사람이 한 말인데, 게임은 하루에 한 시간만 하고 공부를 하거나 놀라는 격언이야.

그런 옛날부터 게임은 어른들에게 반대를 받아왔다고 해.

하지만 1시간으로는 무리지?

온라인 게임을 하루 한 시간밖에 할 수 없다니 엄청 괴롭잖아.

오히려 온라인 게임 말고 다른 건 하루 한 시간밖에 안 해! 라는 사람이 더 많은 세계니까.

단지, 그런 세계에 빠져 있으면 역시 가족이 걱정해서 반대하기도 하지.

그렇게 게임만 하고 있으면 공부는 괜찮은 거냐, 그만두는 편이 좋지 않냐 등등.

확실히 온라인 게임을 하는 탓에 성적이 떨어지는 경우는 있지만—나는 성적이 오르는 경우도 확실히 있다고 생각하고 있어.

◆루시안 : 시험 전이라 부모님한테 온라인 게임 금지당했어…… 죽고 싶어…….

◆디 : 루시안 니 목숨 너무 가볍잖아ㅋ 그보다 금지당했는데 왜 있냐ㅋ

◆루시안 : 부모님은 벌써 주무셔. 그러므로 지금은 내 시간이지.

◆디 : 루시안 어머니~임! 아드님이 온라인 게임 하고 있어요오오오!

◆루시안 : 그만둬ㅋ 오히려 금지하는 게 이상한 거 아니냐고ㅋ

1학기 중간고사 때였나.

공부 같은 건 됐으니까 온라인 게임 하게 해달라고 친구 채팅에서 불평한 적이 있었어.

그러니까 그 친구가 잘난 척하며 그러더라.

◆디 : 그치만 말이지. 인생의 선배로서 말하자면 공부는 해두는 편이 나을 거라 생각해.

◆루시안 : 그런 어딘가에서 들은 것 같은 설교는 필요없거든?ㅋ

부모님이나 선생님이 말할 것 같은 정론 설교 같은 건 듣고 싶지 않았어.

그렇게 생각하지? 적어도 나는 그렇게 생각했어.

하지만, 그게 아니더라. 온라인 게임의 설교는 부모님의 설교와는 다르더라고.

◆디 : 그러다가 나 같은 니트가 됐다간 돌이킬 수가 없잖아ㅋㅋㅋ

◆루시안 : 어?

거짓말이지, 라고 생각하면서 살며~시 물어봤지.

◆루시안 : ……디 씨, 니트였어?

◆디 : 니트가 아닌 아저씨가 이렇게 매일 로그인할 리가 없잖아ㅋㅋㅋ

◆루시안 : 진짜냐…….

있더라고. 진짜가.

그래. 현재진행형으로 저지르고 있는 사람이 실존한단 말이지.

◆디 : 게다가 디 씨는 어중간한 니트와는 다르거든ㅋ 고등학생 시절 대부분 니트, 대학에 들어가서도 거의 완전히 니트, 대학을 때려치우고 진정한 니트가 된 니트의 프로란 말이지ㅋㅋㅋ

◆루시안 : 디 선배 쩐다, 쩐다고.

◆디 : 나 완전 쩔지 않냐ㅋㅋㅋ 이젠 편의점 알바도 떨어지거든ㅋㅋㅋ 게다가 붙어도 스스로 거절하거든ㅋㅋㅋ

◆루시안 : 우와아…….

◆디 : 아버지가 소개해준 일도 첫날에 쨌고ㄱㄱㄱ 요즘은

아무 말도 안 하더라ㅋㅋㅋ

◆루시안 : 그러고도 괜찮아?

◆디 : 이제 괜찮지 않으니까, 죽을 수밖에 없을 정도까지 온라인 게임하고, 온라인 게임 못하게 되면 죽지 뭐ㅋㅋㅋ

◆루시안 : 잠깐, 너…….

듣다보니 새파래지더라. 장난 아니더라고.

진짜로 인생의 선배였어.

내가 온라인 게임만 하다가 전부 내던져버리면 어떻게 될지에 대한 대답이 거기 있었거든.

◆디 : 게다가 뭐가 더 쩌냐면, 니트인데도 온라인 게임에서조차 천하를 쥘 수 없다는 게 더 쩔거든ㅋㅋㅋ 집중력이 없으니까 온라인 게임도 노력할 수가 없어ㅋ

◆루시안 : (글렀어.)

◆디 : 나처럼 되고 싶다면야 시험 같은 거 때려치워도 상관없다만, 선배 루트는 난이도 미친 듯이 높으니까 조심하라고ㅋ

그렇게 웃은 뒤에 디 선배는 조금 진지하게 말했어.

◆디 : 하지만 내가 고등학생 시절로 돌아간다면 반드시 공부할거야. 그런 건 2, 3일이면 끝나니까 해두는 편이 분명 낫거든ㅋ

◆루시안 : 응, 공부하고 올게…….

제대로 된 인생을 보내온 사람의 설교와는 달라.

몸에 사무친 후회와, 커다란 체념이 전해져서 내 몸이 떨리더라니까.

선배처럼 되고 싶지는 않더라. 절대로.

◆디 : 공부가 싫어지면 오라고ㅋ 내가 부모한테 듣고 상처받은 말 랭킹을 발표해 줄 테니까ㅋ

◆루시안 : 전혀 듣고 싶지 않아.

◆디 : 10위 「매일 아무것도 안하는 주제에 배는 고픈가 보구나.」

◆루시안 : 말하지 말라고ㅋ

◆디 : 「그 밥을 먹기 위해 내가 얼마나 일하는 지 알기는 하냐?」

◆루시안 : 게다가 계속되고 있어?!

◆디 : 「일한 적이 없는 너는 상상도 못하겠지.」

◆루시안 : 알았다고! 공부할 테니까 그만해!

◆디 : 힘내라♥ 힘내라♥

◆루시안 : 짜증나아아아아.

그렇게 조금 숨 돌릴 겸해서 로그인할 때마다 랭킹이 발표돼서 마지못해 공부했지. 그 덕분에 1학기 성적은 어떻게든 나왔어.

—아, 디 씨가 나가기 전에 그러더라.

◆디 : 그럼 일 갔다 온다ㅋ

◆루시안 : 뭐?! 일?! 선배가 니트라는 건 거짓말이냐이아

아아!

◆디 : 니트였던 건 옛날이야, 옛날ㅋ 시험 힘내라ㅋ

◆루시안 : 빌어먹을! 힘낼게!

의외로 돌이킬 수 있었던 것 같더라고.

그렇게 응원을 받거나, 격려를 받거나, 나쁜 견본을 보거나, 조금 숨을 돌리거나— 온라인 게임이라는 곳이 참 모티베이션을 여러 수단으로 올려주더라고.

그러니까, 온라인 게임 탓에 공부를 못해! 막장으로 변해! 라는 식으로 가족한테 비난받는 건 납득이 안 간단 말이지.

◆아코 : 즉, 저도 루시안을 선배♥ 라고 부르는 루트로 들어가면 되는 건가요?

◆루시안 : 선배 루트는 그만두라는 이야기였잖아!

부탁이니까 같이 진급해서 같이 졸업해달라고!

온라인 게임 탓에 유급했습니다, 같은 건 곤란하거든?!

◆루시안 : 나는 성적이 괜찮았던 덕분에 내키는 시간에 온라인 게임을 하는 걸 인정받았다고. 아코 너도 가족의 양해를 얻기 위해 노력해보자.

◆아코 : 오히려 온라인 게임을 금지했다간 학교에 가지 않게 될 텐데요?

◆루시안 : 아코는 가끔 테러리스트 같은 요구를 하네…….

자폭 테러냐. 무섭잖아.

◆루시안 : 그런고로 공부하자. 120페이지 연습문제 1부터야.

◆아코 : 기다려주세요. 휴식, 조금만 더 휴식을!

◆루시안 : 충분히 쉬었잖아.

◆아코 : 이제 집에 돌아가고 싶어요……. #전 일본 이제 돌아가고 싶어 협회

◆루시안 : 여기가 우리 집이거든?

일부러 지은 나와 아코의 집에 있는데 돌아가고 싶다니 무슨 소리야.

저기 봐. 안뜰 오두막에서 무땅도 응원하고 있잖아.

◆루시안 : 포기해. 기말고사는 내일부터라고. 마에다 선생님의 수학은 교과서 문제하고 숫자만 다를 뿐인 상냥한 시험이니까 여기서 점수를 벌어둬야지.

◆아코 : 교과서 문제를 전부 풀 수 있는 시점에서 천재라고요. 저한테는 무리에요!

◆루시안 : 수업에서 한 번은 풀었거든…….

계절은 겨울.

12월도 중순에 들어선 무렵.

겨울방학. 섣달 그믐날, 정월—그리고 크리스마스.

가슴 뛰는 이벤트는 눈앞까지 다가왔지만, 그런 걸 신경 쓸 경황이 없는 난관이 우리를 가로막고 있었다.

1장 DESTINY?

And you thought there is Never a girl online?

천천히 온풍을 내뿜던 히터가 삐걱거리는 소리를 내며 멈췄다.

등교한 학생이 늘어났기 때문이리라. 쓸데없이 스펙이 높은 우리 학교의 냉온풍기는 교실 온도가 올라가면 눈치 빠르게 간파한다.

여름에는 다소 더운 정도가 올바르고, 겨울은 다소 추운 정도가 올바르다. 설정온도를 생각해보면 마에가사키 고등학교의 높은 사람들은 아마 그런 식으로 생각하는 모양이다.

PC 유저로서 추운 방에는 익숙하지만, 이른 아침부터 히터가 멈추면 아주 약간 원망스러운 기분이 든다.

하지만 2학기 최대의 난관인 기말고사가 끝난 교실 분위기는 왠지 들떠 있었다.

조금 추운 정도가 딱 좋을지도 모르겠군.

“이야~, 나는 알바가 있어서 말이지. 예정이 아무것도 없다니까~.”

“아빠가 크리스마스는 가족끼리 보내자고 하더라니까. 아무리 그래도 그건 아니지.”

“그치만 크리스마스 때 분명 혼잡할 거 아냐? 나는 너무 사람이 많으면 현기증이 나서……."

크리스마스.

그렇다. 정신이 들자 앞으로 열흘 정도 앞으로 다가온 크리스마스.

부르지도 않았는데 매년 찾아오는 크리스마스.

시험이라는 벽이 사라지자 급격하게 보이는 다음 이벤트.

학생으로서 절대로 놓칠 수 없는.

일부 학생은 가능하면 놓치고 싶은.

그런 이벤트가 크리스마스입니다.

아무리 크리스마스 같은 건 신경 안 써! 라면서 도망쳐도 이야기할 때 반드시 나온다.

몰랐던 거냐. 크리스마스에게서는 도망칠 수 없어.

"크리스마스 같은 건 정말 아무래도 좋지만~."

"말은 그렇게 해도 예정 있지?"

"그게, 우리는 어어, 그거거든."

왜냐하면, 어째서 신경 쓰지 않는지를 설명하지 않으면 안 되거든.

흥미 없다면서 대화를 끝내면 그 자리의 분위기가 엄청나게 변하니까.

"그거야. 야구부에서 남자 모임이 있다고."

"야구부는 사이가 너무 좋잖아."

"근데 농구부는 여자농구부랑 합동이잖아?"

"우와, 그거 좋겠다."

"테니스부가 더 좋을걸. 70퍼센트가 여자잖아."

뭐, 저쪽은 좋네. 부활동파군.

정점들끼리 리얼충 포인트를 경쟁하라고. 우리하곤 상관 없으니까.

문제는 그 이외.

각각 소속된 커뮤니티 안에서 가장 우선도가 높은 이벤트에 참가하는 이상, 평소에 그룹을 짜고 있던 상대가 없어지기 때문에 남는 사람이 많이 나오게 된다.

특히 우리는 고1이고, 1년차니까.

잘 보면, 어딜 봐도 그렇게 보이지 않던 사람이 솔로가 되기도 한다.

그런 학생은 어떻게든 변명을 하지 않으면 안 된다 이거지.

그것도 몇 가지 패턴으로 나뉜다.

"크리스마스라고 해서 알바는 쉴 수 없잖아. 대목이니까."

자주 있는 것이 이런 알바 패턴이다.

알바니까 어쩔 수 없다는 녀석. 일을 한다는 명목은 그럴싸하니 파고들 여지가 없으니까.

"뭐, 가게가 끝나면 슬쩍 가게 안에서 파티라도 열지만? 패밀리 레스토랑이니까 여자도 꽤 있거든?"

이성도 있다는 어필을 잊지 않는 것이 밉살스럽다.

"엄마가 벌써 가게 예약했다고 하더라고. 안 가면 위약금을 묻다니 너무하지 않아?"

저편에서 들려온 저거. 저것도 자주 있는 가족 패턴이다.

강제적으로 가족과 보내야 한다는 변명. 실제로 그런 경우가 있으니까 어쩔 수 없다.

"뭐, 정 안되겠다 싶으면 빠져나와도 되지만."

예정은 있지만 꼬셔줘도 되는데? 라는 분위기를 넌지시 풍기는 것이 포인트라고.

"그치만 어차피 붐빌 거 아냐. 이럴 때 나가봐야 사람들로 넘쳐나서 전혀 즐겁지 않다고."

그리고 붐비는 게 싫다고 말하며 도망치는 패턴.

정말로 붐비는 게 싫거나, 현기증을 일으키는 사람도 있으니까. 그렇다면야 어쩔 수 없다.

"그래도 사람이 적은 곳이라면 갈 수도 있긴 하겠지만?"

구체적으로는 말하지 않겠지만, 나중에 가서는 제대로 즐길 수 있어, 라는 예방선을 치는 것도 가능.

흠흠. 멋지군.

다른 패턴으로는—.

"니시무라는 어쩔 건데?"

"어, 나?"

우왓, 대충 듣다보니 나한테 이야기가 왔네.

어어, 나는, 나는 말이지.

"……나는 아무것도 정해지지 않았는데."

"예정 없는 거냐?"
"아, 한가하면 우리 쪽에서 초대할까?"
이렇게 솔직하게 털어놓는 패턴도 가끔은 있다.
나름대로 대미지는 있지만 섣불리 숨기지 않는 만큼 대미지도 크지는 않으니까.
오픈 오타쿠라면 이거지. 말해버리면 편하다고.
『코미케 준비가 있거든』 같은 소리를 하면 안 돼.
단지, 놀랍게도 이번에 내 위치는 오픈 오타쿠와는 조금 다르다.
정확하게는 이렇다.
"아니, 뭐랄까…… 아코가 기말고사에서 한계까지 몰렸었거든. 뭘 할지 아직 정하지 못했어."
"아…… 거기가 정해지지 않은 거냐."
따스한 시선이 갑자기 쌀쌀맞은 시선으로 변했다.
"아직이네. 그래그래, 아직 정해지지 않은 거네. 아직이네."
"너한테는 타마키가 있으니까~."
"이야~, 핫핫핫."
애초부터 변명도 걱정도 무엇도 할 필요가 없는, 그야말로 최상위층.
이것이야말로 승자조. 나는 그야말로 특권계급이었다.
"정말로 아직 아무것도 정해지지 않아서 잘 모르겠단 말이지~."

그런 소리를 하면서 여유로운 표정을 짓고 있었지.

이야~, 빵이 한껏 풀어져서 표정 관리가 안 되네. 인생에서 가장 콧대가 높아진 것 같아.

크리스마스 최고다. 난 인생의 승리자라고.

"역시 짜증나네. 여친 있는 놈."

"진짜. 축구부 크리팟도 주장이 데이트 한다면서 예정 취소해버렸다고."

"그리고 여자도 레벨 높은 애들은 안 온다니까."

핫핫핫, 부러워해라 우민들아. 내 신부는 귀엽다고.

입 밖으로는 꺼내지 않았지만 내심 크게 웃었을 정도다.

작년과는 어마어마한 차이이다. 그때야 수험에 쫓겨서~, 라는 변명을 했었지만.

"루시안, 있나요?"

입구로 시선을 돌리자 검은 머리가 빼꼼 나와서 나를 보고 있었다.

"호랑이도 제 말 하면 온다더니, 타마키잖아……."

"어이, 서방님. 부르는데?"

"서방님이라고 하지 마."

여기 있어~, 라고 손짓을 하자 아코가 기뻐하며 이리로 다가왔다.

"좋은 아침이에요!"

"제대로 왔구나. 잘했어."

"루시안을 만나러 왔어요!"

아코는 싱글벙글 웃으며 말했다.

익숙한 광경이지만 주변이 이상하게 날카로워지는 크리스마스 전에는 가치가 다르군!

이렇게 나를 찾아오는 아코가 왠지 모르게 빛나 보인다니까.

"……고맙다. 아코."

"무, 무슨 감사인가요?"

"그냥 아코가 있어주는 것만으로도 기쁘거든."

"저도 그래요!"

서로 꼬옥 손을 맞잡았다.

아아, 우리는 지금 빛나고 있어!

"입에서 설탕이 나오겠네."

"그 설탕으로 케이크 만들어줄게."

"먹고 싶지 않아……."

백안시당하는 것도 전혀 눈에 들어오지 않았다.

평소였다면 굉장히 신경 썼겠지만, 오늘은 멀쩡!

"아, 마침 잘됐다. 크리스마스 말인데."

약간 두근두근하면서 물어봤다.

"……어쩔래?"

무서우므로 조금 애매하게.

이랬는데 『적어도 루시안과 함께 있는 건 싫어요』라는 말을 들었다간 이 자리에서 창밖으로 뛰어내릴 것 같지만, 아무리 그래도 그런 일은 없겠지.

"아, 그렇죠. 제대로 예정을 세우지 않으면 안 되겠네요."

아코는 아무런 의문도 가지지 않은 모습으로 대화의 패스를 받았다.

고맙구나. 고마워.

"역시 크리스마스는 가족과 함께 보내고 싶어요."

아코가 싱긋 웃었다.

주변에서는 속닥속닥 소곤거리는 목소리가 들렸다.

"……가족? 그럼 니시무라는 빠지는 거 아냐?"

"여느 때의 부부 플레이겠지."

"……칫."

"재미없어……."

시샘하는 시선이 지금은 그저 기분 좋았다.

그렇게 천국 꼭대기에 올라가 있던 나에게 아코가 다정한 목소리로 말했다.

"아빠도 루시안에게 인사를 하고 싶다고 그러셨거든요."

"—뭣이라?"

왠지 갑자기 이해할 수 없는 단어가 날아왔는데, 이게 무슨 소리지?

"아빠가 루시안과 한번 제대로 이야기를 해보고 싶다고 하셔서요."

"미안, 이야기가 어떻게 이어지는지 잘 모르겠는데."
아코가 그런가요? 라고 고개를 갸웃했다.
"크리스마스는 가족의 날이니까, 가족끼리 같이 보내자고요."
"그 가족이라는 건……."
"아빠랑, 엄마랑, 저랑 루시안이요."
"…………아빠라는 건, 아코네 말이지?"
"그런데요?"
"……진짜로?"
"네. 두 분 모두 기대하고 계셨어요."
부, 부모님과도 이야기가 됐다는 건가?
"설마 그건 이미 확정된 거야?"
"그럴 생각으로 준비하고 있었는데요?"
비보.
나, 크리스마스 때 여친의 아버지에게 인사를 요구받다.
"거~짓~말~이~야……."
"에엑, 안 되나요?"
"크리스마스는 올해도 오지 않는 거냐……."
죽은 것 같은 얼굴이라는 말을 찾아보는 사람이 있다면 지금 내 얼굴을 참고영상으로 삼아줬으면 좋겠다.
책상에 엎어져서 입을 반쯤 벌리고 있는 지금의 나는 그야말로 죽은 것 같은 얼굴입니다

"루, 루시안?!"

아아, 방금 전까지 춥다고 생각했는데, 얼굴에 닿는 책상의 차가움이 기분 좋구나…… 이대로 얼어 죽고 싶어…….

"꼴좋다아아아아아."

"하~앗핫핫핫핫, 니시무라 따위가 으스대니까 벌을 받은 거야."

"따님을 제게 주십시오! 라고 말하고 오라고!"

"젠장…… 젠자아앙……."

특권계급, 함락.

나는 바로 최하위층으로 복귀하고 말았다.

"빡세잖아…… 장난이 아니라 진짜로 크리스마스 안 왔으면 좋겠어……."

"아, 그럼 육상부 파티에 올래?"

"안 가 인마. 멋들어진 미소로 권유하지 마, 타카사키."

우와악 하고 신음하는 패자조에게 따스한 시선이 날아왔다.

아버지한테 인사라니…… 그런 이벤트는 좀 더 나중에 하는 게 보통이잖아…… 왜 아코와 함께 있으면 이벤트 진행이 몇 단 건너뛰듯이 빠른 거냐고…….

"저기저기 니시무라, 니시무라. 루시안."

그때, 한 여자애가 싱글벙글 웃으며 다가왔다.

아침부터 푸근한 미소를 짓고 있는 아키야마다.

그리고는 쓰러진 나와, 옆에 붙어있는 아코에게 의문 한

점 없는 표정으로 물었다.

"크리스마스 말인데, 니시무라와 아코는 어쩔 거야?"

"…………."

빠직, 머리 어딘가에서 혈관이 끊어지는 소리가 났다—는 느낌이 들었다.

"무슨 말씀이십니까, 아키야마."

내가 봐도 놀랄 정도로 진지한 표정으로 입을 열었다.

"올해 크리스마스는 중지됐잖습니까."

"……어?"

얘는 무슨 말을 하는 거야, 같은 표정의 아키야마를 말없이 바라봤다.

"아코, 크리스마스……."

"세테 씨."

아코도 엄청나게 진지한 목소리로 대답했다.

"크리스마스는 폐지됐잖아요."

"에엑."

오, 아코도 장난기가 발동했군.

두 사람한테 그런 말을 듣자 아무리 그녀라도 약간 동요하기 시작했다.

게다가 아무도 그걸 지적하지 않았기에 그녀는 허겁지겁 주위를 둘러보더니…….

"아, 아카네! 저, 저기 아카네!"

타이밍 좋게 등교한 세가와에게 달려가서 물었다.
"오, 올해 크리스마스 말인데…… 제대로 있는 거지?"
점점 불안해진 건지 목소리가 조금 작았다.
"크리스마스?"
세가와는 놀라면서, 진심으로 의아한 듯이 고개를 갸웃했다.
"크리스마스라면 작년에 했잖아? 올해는 참으라고."
"거, 거짓말?!"
믿고 있던 세가와한테까지 단칼에 잘려나간 아키야마는 희망이 끊긴 것처럼 경직됐다.
버려진 고양이 같은 표정이 왠지 귀여웠다.
"크리스마스, 크리스마스 중지됐어?! 하는 거지?! 사라지지 않았지?!"
주변 학생들에게 필사적으로 물어보는 그녀를 바라보면서 나는 눈을 꽉 감았다.
이제 될 대로 되라…….

††† ††† †††

"다들 너무해."
교실 의자에 앉아 팔짱을 낀 아키야마가 우리를 노려봤다.
화내고 있다. 엄청 화내고 있었다.
수업이 끝난 뒤에 일부러 부실까지 들이다칠 정도로 화내고 있었다.

"엄청나게 창피했어…… 이제 시집 못가……."

"그렇게까지 심각하게 생각할 건 없잖아."

괜찮을 것 같은데.

크리스마스 중지 농담을 진담으로 받아들여서 크리스마스 제대로 있는 거지?! 라며 당황하는 그녀의 모습을 많은 반 아이들이 굉장히 따스한 시선으로 보고 있었으니까.

호감도 올라갔을 걸, 분명히.

"하지만 그런 식으로 물어보면, 크리스마스가 중지되는 이야기인가 생각하게 되잖아."

"생각하지 말아줘!"

세가와가 태연하게 웃자 아키야마는 머리를 감싸 쥐었다.

"부모님한테 인사라는 지옥 이벤트를 할 바에는 전 크리스마스가 없어도 될 것 같습니다만."

"아아, 응. 기분은 알겠지만."

왠지 나에게는 동정적이었다.

"그렇게 싫나요……?"

아코가 조금 굳은 표정으로 말했다.

상상 이상으로 싫어하는 내가 곤혹스러운 모양이다.

"아코도 우리 부모님한테 인사하러 온다고 생각해봐. 이해가 갈걸."

"아드님이 저를 받아가게 해주세요!"

"미안, 역시 생각하지 않아도 될 것 같다."

그러네. 그렇게 되겠네.

그보다 그 요구는 일본어로서 맞기는 하냐.

"그래도 우울해…… 아코네 어머니하고는 몇 번 만났지만, 드디어 아버지까지라니……."

"평범하게 이야기를 나누면 괜찮을 텐데요?"

"너야 그렇겠지만."

내 경우는 사정이 다르다고. 고등학생 딸이 자기 남편이라고 주장하는 남자를 데려오면 이제 전쟁밖에 없잖아. 상식적으로 생각해서.

"그러고 보니, 아코는 형제자매 없어?"

"외동딸이에요."

"뭐, 그런 느낌이더라."

끄덕끄덕 수긍한 세가와가 문득 고개를 갸웃했다.

"가족 얘기가 나와서 말인데, 너 여동생이 있지 않았어?"

"어, 있는데. 어디서 들었냐?"

"어? 루시안, 여동생이 있었나요?"

"있어. 한 살 아래."

올해 수험생이지. 지금도 열심히 노력하고 있어.

"시누이인가요…… 적이네요……."

"만난 적도 없는 내 여동생한테 단어만으로 어그로 쌓는 건 그만둬줄래?!"

만나자마자 3초 만에 개전 같은 그런 건 좀 봐주라.

"니시무라는 여동생이랑 사이 좋아?"

"사이는…… 보통, 이려나……."

그렇게 나쁘다고는 생각하지 않지만, 딱히 좋지도 않은 정도다.

"어떤 아이인데?"

"어떠냐고 물어도 곤란한데…… 으음."

조금 고민한 뒤 대답했다.

"니시무라 미즈키. 나이 15세. 중학교 3학년. 신장 146센티미터, 체중 42킬로그램에 B컵. 좋아하는 음식은 매운 것, 싫어하는 음식은 쓴 것. 좋아하는 색은 핑크색이지만 파란색 쪽이 어울리지. 고양이보다는 개과지만 곰을 제일 좋아하고—."

"스톱. 기다려, 일단 닥쳐 이 변태."

"맥락도 없는 변태 취급은 그만둬."

"자기가 방금 전에 한 발언을 돌이켜보고 그런 말을 하지 그래!"

욕한 다음에 바로 적반하장 식으로 화를 내다니 이 파트너 좀 너무하지 않아?

"어디가 변태인데?"

평범한 거 아닌가? 딱히 이상한 소리는 안 했는데?

"왜, 왜 여동생의 신체정보를 알고 있는데?"

세테 씨, 휴대전화를 움켜쥐고 묻지 말아주세요.

“신장은 신체검사 때마다 보고를 듣고, 체중은 목표 몇 킬로그램이라고 세면대에 써놓고, 가슴은 드디어 B컵이 됐다! 면서 요즘 자랑했으니까…….”

“……아카네, 오빠 있지 않았어?”

“아니아니아니 오라비한테 그런 보고 안 하거든!”

평범한 여동생은 안 하나?

여동생에 대한 건 대충 알고 있는데?

“저는 신장 152센티미터고…… 체중은…… 체, 체중은…….”

어째서인지 아코가 괴로운 목소리로 말을 꺼냈다!

“말하고 싶지 않으면 안 해도 돼!”

“일주일, 일주일만 기다려주시겠어요? 그러면 여기에 진정한 저를 가져올게요!”

“살 뺀 뒤의 체중을 보고하려고 하지 마! 됐으니까!”

하지만 가슴 사이즈는 조금 신경 쓰였다. 묻지 않겠지만, 묻지는 않겠지만.

“미안하군. 잠깐 상의할 게 있어서 늦었다.”

그때 마스터가 문을 열고 들어왔다.

이걸로 전원이 모였군.

“자, 그럼 제군. 기말고사 수고 많았다.”

마스터에게서 격려의 말이 날아왔다.

“조금 전 각 교과 담당교사에게 들은 바로는 대부분 문제가 없다고 한다.”

상의라는 게 그거였나. 부장도 참 큰일이야.

“그거 다행이네.”

“아코도 괜찮았어?”

아키야마가 묻자 아코는 웃으며 대답했다.

“선생님 세 분이 이번에는 어떻게든 해줄게, 라고 해주셔서 괜찮을 거라 생각해요.”

“그거 괜찮지 않은 거 아니야?”

너무 아슬아슬하잖아.

“아무튼 저는 이겼어요! 벗어났어요! 이걸로 행복한 마음으로 이벤트가 줄지어 기다리는 연말에 접어들 수 있어요!”

“그러네.”

아키야마가 기뻐하며 끄덕였다.

“그런데그런데, 크리스마스에는 뭔가 안할 거야?”

“아, 물어버렸네.”

아침의 복수인지 태연하게 지뢰를 밟았다!

그만두자고, 그 화제는 이제 잊고 싶단 말이야…….

“그것 말이다만.”

마스터가 그렇게 말하며 일어섰다.

뭔가 싶어 바라보자 여느 때처럼 화이트보드 앞에서 우리와 마주 봤다.

"실은 제군들에게 긴히 부탁할 게 있다."

"부탁……?"

"음. 상당히 뻔뻔스러운 부탁이다만……."

마스터는 무겁게 말하면서 허리를 펴고 양손을 똑바로 내렸다.

"오는 12월 24일. 크리스마스 이브— 그날을, 내게 다오!"

그리고는 척! 하고 아름다운 각도로 고개를 숙이며 말했다.

"우리 현대통신전자 유희부끼리, 크리스마스 이벤트를 개최하고 싶다!"

"좋아. 그 이야기 받아들일게! 하자고!"

직후 나도 일어나서 쌍수를 들었다.

"에에엑, 루시안. 아빠와 인사하는 건 어쩔 건가요?!"

"연기야 연기! 마스터가 고개를 숙이면서까지 부탁하고 있잖아!"

"그, 그렇게 말하면 거절하지 못하지만……"

평소 마스터에게 끼치는 민폐를 생각하면 거절할 도리가 없단 말이지.

그 점은 아코도 같은 의견인 모양이었다.

"예정이 있다면 결코 무리하게 강요할 셈은 없다만……."

"괜찮아. 없어! 없다고!"

아코네 집에서 부모님과 파티를 한다는 바늘방석 같은 이벤트보다는 모두 함께 파티를 하는 편이 분명 즐거울 테니까!

"우우…… 그치만, 그러네요. 어쩔 수 없죠. 가족 파티는 또 기회가 있을 테니까요."

"정말로, 괜찮나?"

마스터는 한동안 고개를 갸웃하며 자신감 없이 물었다.

언제나 선두에 서서 이걸 하자! 라고 외치는 마스터답지 않은걸.

"왜 그렇게 저자세인데. 파티 정도는 그냥 하면 되잖아."

"하지만 말이다. 이번에는 그게, 내 개인적인 사정 때문이라서 말이지."

"회장님의 사정?"

아키야마가 의아한 듯이 묻자 마스터가 끄덕이며 말했다.

"그래. 말하자면 길다만……."

마스터는 천천히 창밖으로 시선을 보냈다.

"예전에 말한 적이 있지만, 우리 부모님은 엄격한 분이시다."

"말했었지."

"친구는 부모님이 고른다! 라는 분이셨던가요?"

"그래. 다행히도 나는 인터넷에서, 그리고 온라인 게임을 접해서 진실을 깨달았다."

인터넷에서 진실을 접하는 극히 드문 성공 사례다.

성공 사례……? 응, 아마 성공 사례……겠지……?

"지난 1년, 가족들을 그저 곤란하게 만들어 온 것만은 아니다. 시간을 쪼개서 대화를 나누고, 내 생각을 전하고, 상대의 마음을 헤아려왔다."

"좋은 일이네."

세가와가 잘난 듯이 고개를 끄덕였다.

"그 결과, 조금씩 이해해주시게 되었다. 내가 좋은 친구를 갖고, 지금 생활을 즐기고 있다는 것을. 부모님에게, 이 학교에게 감사하고 있다는 것을."

마스터는 하지만, 이라고 이어 말하며 고개를 내저었다.

"이해를 해주신 것은 좋다만, 그 결과 다른 불안감이 생기고 말았다."

"불안감이라니?"

"어머니께서 이렇게 생각하시고 만 거다— 혹시 우리 딸, 친구가 무척 적은가……? 라고."

"앗."

태도가 완화된 결과, 눈치채서는 안 되는 사실을 눈치채고 만 건가.

"딸에게 무척 미안한 일을 저지른 것이 아닌가. 그런 표정을 짓던 어머니께 사실대로 말씀드릴 수는 없었다. 무심코 나는 이렇게 말하고 말았지. 그렇지 않습니다. 크리스마스에도 친구와 보낼 테니까요— 라고."

"응, 뭐…… 그렇게 말할 기분은 알겠어."

친구 없니? 라는 건 부모님께 듣고 싶지 않은 질문 랭킹에서 꽤나 상위권이니까.

오히려 그런 질문을 들은 단계부터 상당히 괴롭단 말이지.

"그런 연유로, 크리스마스 이벤트를 해도 되겠나? 개최하면 참가해줄 수 있겠나?"

마스터는 웃으면서도 약간 몸을 떨며 물었다.

"옷을 차려입고 집을 나와서, 공원에서 시간을 때우다 집에 돌아간 뒤 부모님께 『오늘은 즐거웠니?』라는 질문을 받는…… 그런 건 아무리 나라도…… 조금 괴롭거든……."

"그, 그렇게까지 하지 않아도 괜찮아요!"

"상상조차 하고 싶지 않아……."

아코는 새파래졌고 세가와는 진저리를 쳤다.

전국을 뒤지면 꽤나 있을 것 같은 게 괴롭군.

"그러니 제대로 파티를 할 친구가 있다는 걸 보여줘야겠지."

"그러게. 나도 예정은 없고."

"그럼 평소 멤버로 개최하는 걸로 괜찮을까?"

"응, 하자!"

아키야마도 기운차게 동의했다.

어라, 너도 오는 겁니까?

"……아키야마는 친구랑 예정 같은 거 있지 않아?"

따돌리기 위해서 하는 말이 아니라.

여기 있는 우리는 굳이 따지자면 따돌림 당하는 쪽 인간이라서 우리랑 어울렸다간 다른 예정이 곤란할 것 같은데.

"더블 부킹은 엄청 큰일이라고. 그것만은 그만두는 편이 좋아."

고정공략 파티 두 곳에 동시에 들어간 녀석이 전부 잘렸다는 이야기도 자주 듣는다니까.

이렇게 소소하게나마 진지하게 걱정해서 말해줬지만…….

"…………친구랑, 예정?"

"아~아, 말해버렸네."

어째서인지 아키야마가 침울해졌다.

왜 침울해지는 거지. 설마 나처럼 누구에게도 초대받지 못해서 이제 포기하고 온라인 게임을 할 수밖에 없지만 로그인하는 것도 쪽팔려서 좋아, 서브캐 하자! 라는 타입도 아닐 텐데.

오히려 어느 그룹에서 획득할지 쟁탈전이 벌어질 정도 아닌가?

"서, 설마, 남자한테 차였다거나?"

"그런 거 아니거든?"

아키야마가 시무룩하게 나를 바라봤다.

드물게도 침울해진 표정이 조금 귀여웠다.

보통 강캐인 아이가 연약해지면 두근두근하다니까.

"있잖아, 니시무라. 요즘 우리 반 그룹 엉망진창이 됐어."

"……엉망진창이라니?"

무슨 일이라도 있었나?

"크리스마스 직전이니까. 억지로 커플이 되거나, 그러더니 갑자기 헤어지거나 하면서 완전 뒤죽박죽이라니까."

후우, 하고 한숨을 내쉬며 고개를 내젓는다.

"남친이 있다면서 모두를 바보 취급 하던 애가 이제 헤어졌다면서 끼어들어서 분위기를 나쁘게 만들거나. 본인에게 허가도 받지 않고 남자를 소개해준 애가 있어서 싸움이 벌어지거나, 여자들만 모이는 그룹 대화에 무단으로 남자를 들여서 다투거나…… 정말……."

그리고 한손으로 휴대전화를 꼬옥 쥐고는 울부짖었다.

"서먹서먹 오프라인이야!"

"서먹서먹 오프라인입니까……."

이 사람이 인간관계에 관해서 불평하다니 신기하네.

저런 말을 하는 걸 보면 본인도 피해를 입은 거겠지.

"그 중에는 여자아이가 스토킹을 당하는 사건도 있어서…… 솔직히 당분간 얽히고 싶지 않아……."

"나도 그것 때문에 우리 반 애들 초대는 전부 거절했어. 그룹 대화에 끼어드는 것만으로도 귀찮단 말이야."

"우와아, 무셔……."

내가 모르는 사이 우리 반 그룹 대화는 대체 어떻게 된 거야.

"아아, 그렇군요."

아코도 고개를 끄덕이며 말했다.

"우리 반 애가 괜찮다면 남자 소개해줄게~, 라는 영문 모를 소리를 해서 새로운 괴롭힘인가 했었는데…… 그런 이야기였던 거네요."

"아코한테 소개해줘서 어쩔 셈인데……."

"그러게."

그것 참, 세가와의 말 그대로네. 아코에게 소개해줘서 어쩔 셈이지?

핫핫핫, 바보 같은 녀석도 다 있군.

"저기, 아코. 아무 짓도 안할 테니까 잠깐 그 녀석 이름 좀 알려줄래?"

"루, 루시안? 눈이 무서운데요?"

아니아니, 무섭지 않다고. 그저 이야기를 해볼 뿐이라니까.

"솔로라면 힘들지도 모르지만, 마스터, 세테 씨, 고양이공주 씨랑 파티를 짜면 이길 수 있을 것 같거든."

이사의 딸인 학생회장, 1학년 리얼충 대표, 교사, 그리고 신랑의 파티다.

이거라면 1트만에 이길 수 있다. 1학년 여자 중에서도 잔챙이 수준이라면 쓰러트릴 수 있어.

"루시안?! 우리 반 아이랑 어떻게 싸울 셈인데요?!"

"니시무라가 저러는 것도 신기하네…… 보통은 아코가 저러는데……."

"뭐, 뭐어 이런 문제가 학년 전체에 걸쳐서 벌어지고 있어."

"그렇군…… 그렇다는 건."

"맞아."

세가와와 서로 끄덕이며 힘차게 말했다.

"역시 현실은 글러먹었어. 민폐 플레이어에게는 밴을 먹이는 시스템이 필요하다니까."

"망겜이야. 블락 기능 정도는 있어야지."

"내가 부정하지 않는 타이밍에서 말하는 게 치사해."

아니아니, 현실 오프라인은 커뮤니케이션 주변 조정을 잘 못했다니까.

신생 현실 오프라인 개발을 기다립니다.

"그러니까 나도, 적어도 평화로운 니시무라네랑 있으려고 생각하고 있었어."

"평화로운 것에는 자신이 있으니까요!"

그렇게 말하는 아코가 트러블을 일으키지만, 그것 말고는 평화롭습니다.

"뭐, 인원이 많은 편이 즐거우니까 와주면 기쁠 거야."

여자만 있는 건 신경 쓰인다만.

이 멤버라면 괜찮지만…… 원래대로라면 절대로 가고 싶지 않은 구성이다.

"멤버는 OK네. 그래서 뭘 할 건데? 마스터."

질문을 받은 마스터는 당당히 대답했다.

"개최만 해준다면 내가 할 말은 아무것도 없다!"

"평소보다 저자세네요. 마스터."

"마스터는 타인을 위해서라면 힘낼 수 있지만, 자기를 위해서 타인을 힘내게 만드는 건 서툴더라."

그런 부분은 조금 귀엽다니까.

"크리팟이라, 뭐할래?"

아키야마가 뭔가 상상하는 것처럼 말하자 아코가 멍하니 물었다.

"크리팟…… 크리채굴 파티인가요?"

"왜 크리스마스에 채굴을 해야 하는데?"

"리액션이 꽤 나아졌네."

공성전에서 닥치고 크리스털만 모으는 크리채굴 파티에 대해서라는 걸 용케도 깨달았네. 대단해, 공부했구나.

"기뻐해도 되는 걸까……."

내가 엄지를 들자 아키야마는 기쁜 건지 싫은 건지 얼굴을 찡그렸다. 어째서야.

"크리팟이라고 하면 크리스마스 파티의 줄임말이잖아."

그야 말할 것도 없이 그렇지만, 그런 식으로 말하면 반항하고 싶어지잖아.

"그치만 줄여 쓰지 않아도 되잖아."

"온라인 게임에서 크리스마스 이벤트를 할 때도 크리베라고 하진 않으니까."

"왜 리얼충들은 그렇게 줄여 쓰는 걸까요."

리얼충들의 줄여 쓰는 버릇은 잘 모르겠다.

일단은 뭐(とりま, 토리마)라든가, 원 콜(ワンコ, 원코)라든가. 닭꼬치(やきとり, 야키토리)나 강아지(ワンコ, 왕코)인 줄 알잖아.

토리마 원코할게, 라는 소리를 했다간 완전히 닭꼬치 장인 미스라[#1]라고.

하지만 리얼충 대표 세테 씨는 우리 말에 납득하지 못하는 것 같았다.

"온라인 줄임말을 훨씬 모르겠거든? JK 같은 건 너무 여러 용도로 쓰지 않아?"

"상식적으로 생각해서 JK는 여고생을 말하는 거잖아. 농담은 얼굴로만 해두라고.[#2]"

"그러니까 어느 거냐니까?!"

한번 보면 알 수 있잖아 JK.

"파티 관련은 줄임말이 많으니 말이지. 나도 잘 모른다."

"어, 타코팟이나 피자팟 같은 거?"

아키야마가 손가락을 세우며 말하자 아코가 대답했다.

"아아, 타코팟이요. 알고 있어요. 해저신전에서 문어(たこ, 타코)만 쓰러트리는 사냥 파티잖아요."

#1 장인 미스라 게임 『파이널 판타지 11』의 종족. 짐승귀를 가졌다

#2 농담은 얼굴로만 해두라고. 상식적으로 생각해서, 여고생, 농담은 얼굴로만 해둬라, 는 일본어로 모두 JK로 줄일 수 있다.

"타코야키 파티거든."

세가와도 그러네, 라면서 말을 이었다.

"피자팟은 그거잖아. 창창탱커창탱커 같은 덩치캐 구성의 파티를 짜서 고난도 던전을 안정적으로 돌파한다는 그거."

"피자를 먹는 파티의 줄임말거든!"

자자, 책상을 두드리지 맙시다.

"회장님은 괜찮지? 왠지 고급스런 파티 같은 데도 나갈 것 같으니까!"

부자는 파티에 나간다는 고정관념이 있는 모양이다.

하지만 조금 그럴싸했다. 드레스 같은 게 어울릴 것 같으니까.

"나도 요즘에는 여느 때의 파티가 있으니까— 라는 말을 들으면 어머님과 고정팟을 짜야 하는 건가 한동안 고민할 정도로……."

"이 사람들은 글렀어!"

이제 와서 깨달은 겁니까. 깨닫는 게 너무 늦었군요.

반년 전에는 깨달았어야지.

"파티를 한다고 쳐도, 평범한 걸 하는 건 의미가 없지 않아?"

세가와가 왼쪽으로 기울어진 머리를 반대 방향으로 기울이며 말했다.

트윈테일이 옆쪽 아키야마의 어깨에 닿자 그녀는 답례라

는 듯이 머리카락을 쭉쭉 당겼다.

사이좋네.

"평범한 게 아니라, 우리다운— 온라인 게임부다운 걸 하자는 건가요?"

"그래그래. 온라인 게임부로서 뭔가를 한다면 크리스마스에 부실을 쓰더라도 괜찮을 거 아냐."

"그럴 경우에는 선생님도 불러야 할 것 같은데요."

아코가 불안해하며 묻자 세가와는 태연하게 웃었다.

"어차피 고양이공주 선생님은 크리스마스 예정 없을 거야."

"……그럴 것 같긴 하지만요."

"그럼 장소는 부실이군."

"장소를 생각하지 않아도 좋은 건 편하네."

본인의 예정도 모른 채 고양이공주 씨의 참가가 결정되고 말았다.

어딘가 멀리서 이상하다냐아아아아아, 라는 울음소리가 들린 것 같은 기분이 들었다.

"그럼 부실에서 모두 함께 게임을 하죠!"

"왜 크리스마스에 로그인을 해야 하는 거냐고……."

"그러고 보니 작년에도 슈만 로그인하지 않았었죠."

"시험공부 때문에 바빴다고!"

"이 몸한테 크리스마스 예정이 없을 리가 없잖아ㅋ 라고 하지 않았었나?"

"잊어버려."

"네."

잊었다. 이미 잊었다.

잊었으니까 그런 색채가 사라진 눈으로 보지 말아줘. 부탁이니까.

"작년에는 LA의 크리스마스 이벤트에 참가해서 꽤 즐겁긴 했지만요."

"그랬었지. LA도 크리스마스 이벤트는 철저하게 하니까."

슬픈 크리스마스를 떨쳐내듯이 전력으로 이벤트에 참가했었지.

작년에는 포인트를 벌어서 아이템을 받는 계열의 이벤트였으니까.

"이벤트라. 그렇군. 그게 좋겠어."

마스터가 손가락을 딱 울렸다.

"그럼 LA의 크리스마스 이벤트를 하자."

"……응?"

"온라인 게임 할 거야?"

"아니다."

그럼 무슨 소리야.

마스터는 그런 우리들의 시선을 보며 다부지게 웃고는—.

"LA의 크리스마스 이벤트를 그대로 현실에서 하는 거다!"

의기양양한 얼굴로 말했다.

현실에서 하는 거다! 라니 당신—.

“온라인 게임하고 똑같은 일을 할 수 있을 리가 없잖아.”

몹 잡으라고 하면 어쩔 건데?

야생동물이라도 찾으러 갈 거냐고.

“똑같은 건 못하겠지. 온라인 게임과 현실은 다르니까 말이다.”

“그거 오랜만에 들었어요.”

아코가 그런 적도 있었지요~ 라는 표정으로 말했다.

“오랜만이면 안 되잖아. 이 부의 목적은 그거였으니까…… 아아, 그렇구나.”

내가 납득하자 세가와와 아코도 이해한 모양이다.

“아아, 그렇지. 하긴. 그렇게 보면 초심으로 돌아간 느낌도 드네.”

“그립네요.”

아코 건전화 계획인가.

처음 작전 목표는 그거였지. 온라인 게임이 즐거워서 그만 잊어버렸다. 안 되지 안 돼.

정말로 안 된다고. 온라인 게임이 즐거워서 식사라든가 수면이라든가 공부라든가 시험이라든가 학교라든가 인간관계라든가 마감이라든가 전부 잊어버리게 되니까. 위험하다고.

“……응? 이 부는 모두 즐겁게 게임을 하는 부 아니었어?”

"아키야마 너한테는 처음부터 설명했었잖아?!"

당신 탓에 아코가 다음 생으로 가려고 했던 바로 그때!

"아무튼 괜찮겠네. 할 것도 없으니까 해보자고."

"그래도 일단은 내용을 봐야겠어."

이벤트 내용이 던전에 들어가서 보스를 쓰러트리라거나 그러면 조금 어렵다.

"한번 볼까. 슬슬 갱신되어 있어도 이상하지 않다."

오늘은 마침 정기점검 날이다. 갱신되어 있다면 이 타이밍이다.

"그럼 컴퓨터를 켜고……."

"……SSD 좋네."

돈이 모일 때까지 세가와는 바하무트로 버틸 수밖에 없다.

LA를 기동하자 이벤트 공지가 있었다.

"갱신된 것 같네."

"어때? 경험치 늘어나? 이벤트 아이템은 강해?"

"한정의상은 귀여운가요?"

속물적인 녀석들. 좀 더 이벤트를 즐기라고.

크리스마스 한정의 강력한 회복 아이템 같은 게 있을지도 모르잖아.

"크리스마스 이벤트 제1탄은, 어어……."

"회장에서 즉석 커플을 만들어서 크리스마스 이벤트에 참가하자…… 라네요."

아코가 곤혹스러운 표정으로 나를 바라봤다.

나도 잘 모르겠는데?

"페어끼리 그룹을 짜서 즐거운 한정 이벤트로 GO…… 흠."

"멤버는 자동적으로 친구등록, 동료와 함께 레전더리 에이지에서 크리스마스를 만끽하자! 라네."

이건 요컨대—.

우리는 자연스럽게 얼굴을 마주본 뒤, 야키야마에게 시선을 돌렸다.

"……즉석 커플 양산에 강제 그룹화에, 무단 친구 등록?"

"우치다아아아아아아아아아아!!"

세테 씨가 화났다!

근데 우치다는 누구야? 사람 잘못 본 거 아니야?

애초에 이 게임의 프로듀서는 우치다가 아니야!

"뭐야 대체!! 이 게임 만든 사람 정신 나간 거 아니야?!"

"워워워."

쓸데없는 짓 하지 마라 운영자, 라고 말하고 싶은 이벤트인 건 확실하지만 말이지.

꽝 이벤트 같은 건 대체로 이런 느낌이더라.

"구체적인 내용은 어떤데?"

"이벤트 회장에 집합한 플레이어는 랜덤으로 2인팟을 짜게 된다. 그 상대와 퀘스트를 클리어하는 게 제1회 이벤트라고 하는군. 보수로 산타모자와 다음 이벤트 참가권을 얻을 수 있다는 것 같다."

"안 하면 다음 것도 참가 못한다는 건가……."

"연속 퀘스트라는 거네요."

아코가 곤란한 듯이 말했다.

"이거, 파티 짠 사람하고 결혼해야만 한다거나, 그런 건 아니겠죠?"

"맞선이 아니거든?"

"친구등록은 된다고 한다. 친하게 지낸다고 손해는 보지 않겠지."

"우우…… 친구등록……."

아코는 그것조차도 싫은 모양이다.

온라인 게임에서까지 외톨이가 될 필요는 없다고 생각하는데.

"아, 이거 봐봐 아코."

아래쪽을 읽던 세가와가 손가락으로 가리켰다.

"길드 멤버나 친구와 짜게 될 가능성이 많다네."

"그쪽은 거북하지 않게 배려한 건가."

이 중에서 짜일 가능성이 많다면야 편하겠네.

"하지만 한 명 튕겨나잖아. 다섯 명이니까."

"그건 운이지. 재밌을 것 같지 않아?"

"그럼 해볼까……."

세테 씨가 하아, 하고 한숨을 내쉬었다.

적을 쓰러트리라는 이벤트보다는 재현할 수 있을 것 같으니까.

일단은 해볼까?

††† ††† †††

이벤트 회장은 언제나 눈이 내려서 수북히 쌓이는 루티 마을.

마을 중심에는 커다란 무대와 주변을 둘러싸듯이 설치된 요리가 잔뜩 놓인 테이블이 추가되어 있었다. 게다가 제대로 먹을 수 있다. 한 입 먹어보니 완전 회복됐다. 어머, 편리해라.

◆애플리코트 : 이곳을 거점으로 아수라 사냥을 할 수 있을 것 같군.

◆슈바인 : 이벤트 회장을 사적으로 써먹는 건 그만둬. 민폐잖아.

◆세테 : 그래서 참가접수는 어디서 하는데?

그때, 높은 무대 근처에서 커다란 캐릭터가 갑자기 전송되었다.

◆GM01 Nyack : 여러분. 잘 찾아오셨습니다.

◆아코 : 앗, 냐크땅이에요.

오랜만에 보네. 냐크땅.

목격보고는 자주 보였지만.

투명화를 거는 걸 잊은 채 걸어가다가 말이 걸려오니 쿵 O(^>^*)o쿵 하면서 사라졌다거나.

◆애플리코트 : 갑자기 피부가 맨들맨들[#3] 같은 소리를 하진 않겠지?

데스티니 씨를 이제 용서해주라고.

근데 GM이 진행하는 건가…… 이벤트를…….

◆슈바인 : GM 주도 이벤트라…… 이거 괜찮냐?

◆루시안 : 불안해하지 말라고. 냐크땅이라면 괜찮을 거야.

불길한 예감이 드는 건 이해한다. GM 주도 이벤트라는 시점에서 무서우니까.

무방비한 생산 플레이어를 RvR 존으로 유도해서 학살당하게 만들거나, GM을 쫓아가는 이벤트인데 GM이 나타나면 서버가 다운되니까 플레이어가 제발 오지 말라고 기원하며 역술래잡기가 벌어지거나, 아무튼 무섭다.

◆GM01 Nyack : 첫 행사만 GM 진행이며 이후부터는 안내문으로 진행하게 됩니다.

다 알고 있다는 말이었다.

응. 나도 그게 좋을 것 같아.

◆GM01 Nyack : 지금부터 5분 후에 회장에 있는 분들은

#3 피부가 맨들맨들 게임 「파이널 판타지 11」의 GM이었던 데스티니의 유명한 오폭

랜덤 파티로 편성되게 됩니다.

◆세테 : 강제적인 이벤트네.

세테 씨가 눈살을 찌푸렸다.

나도 조금 싫은데.

그다지 친하지 않은 사람과 억지로 2인조로 엮이는 느낌. 엄청 거북하다고.

◆세테 : 왠지 미팅 같아.

◆아코 : 그런 말이 나오니까 진짜로 그런 느낌이 들잖아요!

◆애플리코트 : 실제로 그런 게 아닐까?

마스터가 말했다.

◆애플리코트 : 온라인 게임의 운영진은 신규 플레이어를 늘리고 기존 플레이어를 유지하기 위해 언제나 골몰하고 있다.

◆애플리코트 : 그것을 위해 정기적인 업데이트나 이벤트를 하는 거다만— 플레이어가 게임을 계속하는 최대 이유는 뭐라고 생각하나?

◆루시안 : 뭘까. 내 경우는 아코인데.

◆아코 : 루시안이네요!

◆슈바인 : 솔직히 잡담하러 온다는 느낌은 있지ㅋ

◆세테 : 혼자 하고 싶지 않긴 해.

◆애플리코트 : 그거다.

딩동! 하고 마스터 위에 동그라미 마크가 떠올랐다.

◆애플리코트 : 이 사람이 기다리고 있으니까 로그인한다.

그런 상대가 있어야만 게임을 계속할 생각이 드는 거다. 설령 억지라고 해도 친구를 늘리고, 커플을 늘릴 수만 있다면 운영진으로서는 아무런 손해가 없지.

그야 뭐, 운영진은 코어 유저가 늘어날수록 좋긴 하겠지만…….

◆세테 : 운영진 주체의 미팅이라는 거네.

◆아코 : 돌아가고 싶어졌어요…….

그러게. 우리에게 어울리는 이벤트는 아닌걸.

전원이 끼리끼리 묶이면 좋았을 텐데 말이지. 누가 튕겨나갈까?

◆GMO1 Nyack : 그럼 지금부터 여러분은 파티를 맺게 됩니다.

◆GMO1 Nyack : 5, 4, 3, 2, 1, 메리 크리스마스! 로 파티가 편성되므로 콜을 부탁드립니다.

◆아코 : 메리 크리스마스라고 말하기에는 조금 이른 것 같은데요.

◆루시안 : 이벤트니까 어쩔 수 없을지도 모르겠네.

아직 일주일 이상 남았다고.

12월 초순부터 크리스마스 트리를 꺼내는 가게 같은 곳이 있으니 항상 우리가 괴롭단 말이지.

◆GMO1 Nyack : 그럼 5

◆GMO1 Nyack : 사?

◆GM01 Nyack : 3

◆GM01 Nyack : 2

◆GM01 Nyack : 1

메리 크리스마스!

산더미 같은 채팅이 흘러나왔다.

◆아코 : 중간에 이상한 게 들어가지 않았나요?

그건 신경 쓰지 말자.

그리고 삐콩! 하고 메시지가 들어왔다.

▶슈슈가 파티에 가입했습니다.◀

◆루시안 : 아코가 아니잖아!

◆아코 : 루시안이 아니에요!

우리 결혼했는데도 페어가 아니야!

어떻게 된 거야 이게! 불륜 추천 이벤트냐!

◆세테 : 아, 나는 아카네랑 됐어.

◆슈바인 : 그렇군. 이 몸에게 맡겨둬.

"이 몸에게 맡겨둬!"

"현실에서 채팅 읽지 말아줘!"

사이좋네, 너희들.

◆애플리코트 : 내 페어는 아코군.

◆아코 : 루시안이 아니에요…….

◆애플리코트 : 내가 미안한 짓을 한 것 같은 기분이다만.

괜찮아. 마스터는 아무 잘못 없으니까.

그런데 우리 말고는 친구나 길드 멤버인가. 튕겨난 건 나였군.

하지만 다른 녀석보다는 낫나. 세테 씨 말고는 온라인 게임에서도 커뮤니케이션 장애고.

◆루시안 : 잘 부탁합니다.

일단 인사, 인사.

온라인 게임에서는 잠깐의 만남으로 시작해서 오랫동안 알고 지내는 사이가 되기도 하니까 말이지.

좋은 만남은 어디에 있을지 모르니 제대로 인사를 해둬야 한다.

◆슈슈 : 어, 어?

상대인 슈슈는 뭔가 놀라고 있었다.

이벤트의 강제 파티 편성에 놀란 건가 했는데—.

◆슈슈 : 오빠?!

그런 말이 날아왔다.

오, 오빠라…… 이 사람 강렬한 타입이네…….

"오빠……라……."

"왜 그러시나요? 어? 어어?!"

옆에서 화면을 들여다본 아코의 눈이 동그래졌다.

"오, 오빠라고 하고 있는데요? 여동생인가요?"

"그럴 리가 없잖아. 내 여동생이 온라인 게임을 할 리가 없다고."

억지로 튜토리얼을 시킨 적은 있지만, 전혀 재미있어하지 않아서 포기했다. 설마 현실 여동생일 리가 없지.

"아마 롤플레이 계열 사람이겠지."

"……롤플레이?"

"그래. 뭐랄까, 특정 캐릭터를 가장해서 그걸 연기하는 사람."

초대면인 남캐를 오빠라고 부르거나, 초대면인 여캐를 언니라고 부르거나, 자기를 공주라고 칭하거나, 이 몸이라고 칭하거나.

그런 역할 몰입 플레이를 진지하게 하는 사람이다.

온라인 게임에는 그런 사람도 꽤 많이 있다고.

"알기 쉽게 말하자면, 슈바인이지."

이런 녀석이 있겠냐, 라고 하고 싶은 이 몸 캐릭터를 연기하고 있으니까.

"그렇군요!"

"나는 내 이상을 체현하고 있을 뿐이야. 이상한 설정 붙이지 말아줄래?"

그걸 역할 몰입이라고 하는 건데.

"아코는 여캐를 쓰고 있으니까 본 적이 없겠지만, 남캐를 쓰고 있으면 가끔 보여. 세가와나 마스터도 경험은 있지?"

"그야 그렇지."

세가와도 뭔가 떠올랐다는 듯이 얼굴을 찡그렸다.

"초대면인데 아빠라고 부르는 녀석이나, 형님이라 불리거나, 이런저런 녀석들이 있었지."

"많은 건가요……."

"음. 그다지 드물지는 않다. 여동생이 되어도 될까요? 라는 수수께끼의 질문을 받은 적이 있다."

"온라인 게임은 참 무섭네."

아키야마의 미소도 조금 굳어있었다.

온라인 게임에 익숙하지 않은 사람에게는 충격적일지도 모른다.

◆루시안 : 어어…….

◆슈슈 : 아, 잘 모르겠지만 오빠라고 부르지 않는 편이 나은가?

◆루시안 : 보통은 부르지 않지. 응…… 딱히 상관은 없지만…….

내가 조금 기겁한 걸 눈치챘는지 슈슈는 조금 안절부절못하는 낌새였다.

다행이군. 제대로 된 사람이네.

"루시안. 이 사람 어쩔 건가요?"

"어쩌긴 뭘 어째. 평범하게 이야기하면 괜찮을 거야."

롤플레이를 하고 있을 뿐 이상한 사람이 아닌 경우도 자주 있으니까.

배려심이 있는 사람이라면 문제없지.

◆루시안 : 근데 어떻게 파티가 맺어진 걸까, 친구등록이 되어 있나?

◆슈슈 : 나는 오빠를 친구에 넣어놨었는데…….

◆루시안 : 어, 진짜로? 미안, 나는 넣어놓지 않았어.

슈슈라는 캐릭터와 게임을 했던 기억이 전혀 없었다.

일방통행 친구라도 일단 연결되어 있으니까 파티 편성이 된 건가.

◆루시안 : 어딘가에서 같이 게임한 적이 있던가?

◆슈슈 : 같이 게임한 적은 없지만, 처음에 여러모로 가르쳐준 건 오빠야.

◆루시안 : 진짜냐.

우와아, 아코랑 같은 타입인가.

곤란해하는 초보자에게 슬쩍 말을 걸어서 도와준 적이 그럭저럭 있으니까.

그거라면 상대가 나를 기억하는 것도, 조금 친근하게 대하는 이유도 알 것 같다.

임프린팅 같은 식으로, 온라인 게임에서 처음으로 제대로 이야기를 나눈 상대가 나였을 테니 말이지.

"그래서 오빠인가. 그렇게 된 거구나."

"납득해도 괜찮은 걸까요……?"

“나를 친근하게 대하는 건 어쩔 수 없잖아.”

너무 차갑게 대하는 건 딱하기도 하고.

◆루시안 : 그럼 이것도 우연이니, 이벤트 힘내자.

◆슈슈 : 응. 오빠.

……그 호칭, 계속하는 겁니까.

◆슈슈 : 그런데 오빠, 왜 이런 시간에 있어? 어디서 게임하는 건데?

왠지 진짜 여동생 같이 묻고 있는데.

이 정도라면 이야기에 편승해줘도 되려나. 으음.

◆루시안 : 음, 그게 말이지. 학교 컴퓨터, 거든.

◆슈슈 : 학교에서?!

아, 놀라네.

사실을 말하지 않는 편이 나았던 걸까.

◆슈슈 : 요즘 고등학교는 대단하네…….

◆루시안 : 우리는 특수한 예시라고 생각하는데. 슈슈는 어디에서?

◆슈슈 : 거실 컴퓨터 쓰고 있어.

평범하네.

고개를 끄덕끄덕하는 사이 슈슈가 내 옆까지 걸어왔다.

몽크 직업의 여캐. 친한 사람 중에서는 몽크 타입이 없었기 때문에 신선하다.

게다가 아코를 제외한 캐릭이 일부러 옆까지 다가오는 것도 드물다.

길드 사람들은 의식해서 나와 나란히 서려고 하지 않으려고 하니까 말이지.

그런데 어째서일까. 이렇게 슈슈와 함께 있어도 딱히 위화감이 없었다.

◆GM01 Nyack : 여러분, 파티는 맺으셨습니까?

◆GM01 Nyack : 잘못해서 파티를 해산하신 분들은 아쉽게도 이벤트를 속행하실 수 없으므로 다음 기회를 기다려주세요.

냐크땅의 안내가 이어졌다.

◆세테 : 하루에 몇 번 더 있나보네.

◆루시안 : 하루 한 번뿐이면 난이도가 너무 높잖아.

회장 바깥에는 벌써 기다리는 캐릭터들로 가득하다고.

서버가 다운되지 않았으면 좋겠네.

◆GM01 Nyack : 그럼 페어끼리 나란히 서주세요.

근처에 있는 건 일행들이므로 자연스럽게 모이게 되었다.

어째서일까. 다가온 아코가 내 옆에 선 슈슈를 뚫어져라 노려보고 있는 것 같은데.

"루시안의 옆에는 제가 있어야 하는데……."

무서워! 주로 눈초리가 무서워!

"그런 이벤트니까 어쩔 수 없잖아!"

"우우우, 여동생인가요?! 역시 여동생 캐릭터가 좋은 건가요?! 저도 루시안을 오빠라고 부르면 되는 건가요?!"

"아코, 그 이상 속성을 늘리지 말아줘."

아무리 나라도 손을 쓸 수가 없어진다고.

◆슈슈 : 오빠는 항상 이런 이벤트 나가는 거야?

그때 슈슈 쪽에서도 채팅이 날아왔다.

◆루시안 : 보수에 따라 다르지. 이번에는 연속 이벤트니까. 슈슈는 이벤트 하는 편?

◆슈슈 : 전혀 안 해. 크리스마스를 즐기자! 라고 적혀 있길래 짜증나서 보러 왔을 뿐인걸. 언제나 혼자 하니까.

◆루시안 : 슈슈, 길드 들어가지 않았구나.

슈슈의 머리 위에는 길드 엠블럼이 없었다. 솔플인 것 같다.

길드나 고정팟 같은, 친구가 늘어나는 곳에 참가하지 않다 보니 어느새 줄곧 솔플만 하게 되었다는 사람도 꽤 흔하긴 하지.

◆슈슈 : 평소에는 타자 같은 거 치지 않으니까, 긴 채팅하는 것도 오랜만이야. 채팅이 늦다면 미안해.

◆루시안 : 괜찮아 괜찮아. 나도 빠르진 않으니까.

◆슈슈 : 잘 부탁합니다랑 수고하셨습니다 말고 다른 글자 치는 것도 오랜만일지도.

◆루시안 : 인사말 온라인은 괴롭지!

아는 사람이 전혀 없는 온라인 게임은 굉장히 쓸쓸한 법이지만, 그럼에도 이 세계에는 많은 사람이 있고, 단 한 번

뿐인 만남도 있기 때문에 온라인 게임은 즐길 수 있다. 그래서 이렇게 솔플을 하며 자라온 사람도 상당히 많다.

그런 걸 생각해 보면 강제적인 이벤트도 괜찮을지도 모르겠다.

◆루시안 : 나라면 한가할 때는 채팅이나 퀘스트로 어울려 줄 수 있으니 불러줘.

◆슈슈 : 아, 아하하…… 오빠는 딱히 필요없을지도…….

◆루시안 : 이렇게나 말했는데 그건 심하잖아.

잠깐 슈슈와 활기찬 대화를 나누고 있던 참에 냐크땅의 채팅이 흘러나왔다.

◆GM01 Nyack : 그럼 팀별로 이벤트 맵으로 전송하겠습니다. 앞쪽부터 순서대로 워프 게이트로 들어가 주세요.

"이럴 때 제대로 줄을 서는 게 일본인이더라."

"앞 다투어 들어가지 않으니까."

"그 결과 퀘스트 몬스터로 행렬을 만드는 일본인 플레이어의 개그 영상이 전 세계에 퍼지긴 하지만……."

함께 즉석 파티를 맺으면 바로 끝나는데 전부 솔로 상태로 줄을 서는 게 이상하단 말이지.

워프 게이트는 몇 군데 준비가 되어 있어서 기다리자 바로 우리 차례가 왔다.

◆루시안 : 그럼 들어가자.

◆슈슈 : 네~에.

날아간 곳은— 그다지 넓지 않은 방.

뭐지? 의자랑 긴 테이블이 있는 식당 같은 방이었다.

크리스마스 장식과 많은 요리가 놓여 있어서 크리스마스 파티 회장이라는 느낌이다.

함께 있는 건 나, 아코, 슈, 마스터, 세테 씨, 그리고 슈슈.

이거 거의 앨리 캣츠잖아.

◆루시안 : 슈슈 말고는 우리 길드네. 잘 부탁해.

◆슈슈 : 잘 부탁합니다. 언제나 오빠가 신세 지고 있습니다.

◆아코 : 아뇨아뇨, 이쪽이야말로 저희 루시안이 언제나 신세를…….

◆슈슈 : 어, 저기, 저희 오빠인데요…….

◆아코 : 제 서방님이거든요!

◆슈슈 : 서방님……?

◆루시안 : 뭐야 이 쓸데없는 싸움은.

그만둬. 롤플레이어끼리 이상한 대립하지 말라고.

일단 잘 부탁한다며 전원 인사를 나누고, 이제부터 어떻게 나오는지 움직임을 기다리기로 했지만…….

◆세테 : 아무 일도 안 일어나네?

◆슈바인 : 적도 안 나오는군.

◆루시안 : 이런 좁은 곳에서 전투하고 싶지는 않은데.

슈슈와 2인 파티인 상태니까 아코가 내 HP를 확인할 수 없잖아.

힐러가 HP를 보지 못하는 상태에서 탱커를 서는 건 무섭다.

◆GMO1 Nyack : 여러분, 입실하셨습니까.

바로 GM에게서 메시지가 왔다.

◆GMO1 Nyack : 여러분은 그 방에서.

◆슈바인 : 서로 죽여줘야겠다.

◆루시안 : 헷갈리는 채팅 치지 말라고ㅋ

◆애플리코트 : 피의 크리스마스로군.

◆세테 : 그런 피비린내 나는 이벤트 싫어~.

배틀로얄을 회피하면서 설명을 기다렸다.

◆GMO1 Nyack : 수수께끼 하나를 푸셔야 합니다.

◆GMO1 Nyack : 그럼 열심히 해주세요.

메시지가 멎었다.

……어, 그것뿐?

◆루시안 : 노 힌트냐.

◆애플리코트: 아마 방 안에 모든 요소가 갖춰진 거겠다만…….

그걸 조사하라는 건가. 너무 귀찮잖아.

"이렇게 된 이상 어쩔 수 없지. 수수께끼를 풀라는 건……."

타닥타닥 키보드를 쳤다.

어어, LA, 크리스마스 이벤트, 수수께끼 풀이…….

◆아코 : 루시안, 조사하지 않는 건가요?

이곳저곳을 둘러보던 아코가 채팅으로 말했다.

◆루시안 : 아니아니 조사하고 있잖아.

무슨 실례되는 소리를, 이라고 대답했다.

나는 제대로 조사하고 있어.

누구보다도 진실에 다가가고 있다고 말해도 좋겠지!

◆루시안 : 게시판에서.

게시판 온라인을 하고 있으면 조만간 대답이 날아오겠지. 반드시.

◆아코 : 얍삽해요!

◆루시안 : 얍삽한 건가? 온라인 게임의 문제는 검색력을 시험하는 거 아니었어?

◆아코 : 기왕 이렇게 됐으니까 생각해 보자고요. 루시안과 함께 수수께끼를 풀고 싶어요.

큭, 아코도 나를 다루는 법을 학습했군.

온라인 게임을 하는 녀석은 대부분 그렇지만, 같이 게임을 하고 싶다는 말에는 약하단 말이야.

"어쩔 수 없네. 그럼……."

◆슈슈 : 맞아. 오빠는 언제나 그러더라.

그때 슈슈까지 편승해왔다.

◆루시안 : 언제나라니 뭔데ㅋ

◆슈슈 : TV 퀴즈 방송에서 정답은 광고 뒤에! 라는 소리가 나오면 광고 시간 사이에 정답을 조사해서 혼자 히죽히죽 거리잖아!

◆루시안 : 넌 초능력자냐?!

확실히 그러긴 하지만! 그런 짓을 하긴 하지만!

자칭 여동생 캐릭터가 보유한 놀라운 추리력에 전율을 금할 수가 없었다.

"아니, 너는 척 봐도 그런 짓 할 것 같거든."

"게다가 정답을 가르쳐주지 않을 것 같아."

"무, 물어보면 대답해주거든!"

너희들 실례 아니냐!

스포일러충처럼 스포일러 할 건데 알고 싶냐? 알고 싶냐? 라고 부추기며 말하지는 않는다고! 스스로 생각하고 싶어하면 잠자코 지켜보고, 물어보면 대답해준단 말이야!

◆슈슈 : 정말…… 좋아, 아코 씨는 이벤트를 즐겨.

화면 속에서 슈슈가 그렇게 말하며 아코와 내 사이에 섰다.

◆슈슈 : 오빠는 내가 돌보고 있을 테니까.

◆아코 : 에에엑, 잠깐만요. 어째서인가요!

아코도 내 옆으로 와서 땀이 뚝뚝 떨어지는 모션을 날렸다.

◆아코 : 그만둬주실래요. 제가 루시안한테 돌봄을 받을 거예요!

◆루시안 : 왜 능동적으로 수동적인 거냐 넌…….

◆슈슈 : 정말 우리는 신경 쓰지 않아도 되는데?

◆아코 : 어째서 제가 부외자 같은 취급을 받는 건가요?!

"대체 뭔가요 이 사람?!"

"대, 대체 뭘까?"

아코는 반쯤 울상을 지으며 내 몸을 흔들어댔지만 나 역시 식은땀을 흘릴 수밖에 없었다.

이상한 사람이네. 정말로.

진짜로 내 여동생을 연기하는 것 같은, 착각계 사람이다.

"꽤 신기하군. 보통 이런 착각계는 아코를 마음에 들어 하는데."

"그러게. 확실히."

아코는 이상한 사람에게 사랑받는 확률이 상당히 높다.

이상한 사람에게 붙잡혀서 데리고 돌아오는 데 고생하는 패턴은 대부분 아코가 피해자다.

"확실히 아코 군이 직결 플레이어의 타겟이 되는 경우는 많지만……."

마스터가 약간 곤란한 표정으로 나를 바라봤다.

뭐야. 왜 그런 표정인데.

"루시안이 묘한 여자와 얽히는 경우도 적지는 않다고 생각한다만."

"내가? 어째서?"

Why? 왜 그렇게 되는데?

"그런 일은 전혀—."

없지? 라며 아코의 얼굴을 봤다.

초보자였을 때 친절하게 대해준 탓에 왠지 모르게 나에게 친근감을 가지게 된 아코를.

의도치 않게 친해지고 말았던, 약간 묘한 여자아이를.

"어, 어어…… 그런 일은…… 없다고……."

세가와, 마스터, 그리고 세테 씨를 순서대로 돌아봤다.

묘한 여자아이밖에, 없는 것 같은, 기분이…….

"응. 나는 기억나지 않아."

"굉장한 국어책 읽기인데."

"그렇지 않거든."

"눈이 왔다갔다 거리고 있어. 니시무라."

두 사람이 게슴츠레한 시선을 내게 보내고 있었다.

그기 아이다. 그기 아이라고.

"아, 아니거든? 딱히 이상한 사람 말고는 친해지지 못하는 게 아니야. 조금 독특한 사람이라고 해서 안 좋게 받아들이는 걸 그냥 보고 있을 수 없는 것뿐이라고."

다소 캐릭터가 강한 사람이라도 약간 거들어주면 친해질 수 있고, 친구도 될 수 있단 말이야.

즐겁게 놀 수 있는 상대를 눈뜨고 놓쳐버리는 건 아깝잖아.

그것뿐이라고.

"그래. 그것뿐, 그것뿐이야……."

"자기최면 같구나."

마스터의 목소리는 깨닫지 못한 척 하고 싶다.

"우우, 루시안 바람둥이……."

남들이 오해할라. 나는 너밖에 안 본다고.

"괜찮지 않아? 평소랑 반대니까 어떤 의미에서는 아코에게 좋은 경험이잖아?"

그때 세가와가 아코의 등을 탁탁 두드렸다.

"……반대라뇨?"

아코가 의아한 표정을 짓자 세가와가 히죽히죽 웃으며 말했다.

"언제나 아코가 이상한 직결한테 걸려서 니시무라가 뒤에서 고생해왔잖아. 가끔은 니시무라의 노력을 느껴보는 것도 좋을걸?"

야, 쓸데없는 소리 하지 마.

아코한테는 그다지 말하고 싶지 않다고.

"루시안, 언제나 그런 사람이 덮쳐왔던 건가요?!"

"덮쳐오지 않았거든. 그냥 얽혔을 뿐이야."

언제나라고 할 정도는 아니지만, 아코를 노리는 이상한 사람이 얽혀온 적이 가끔 있다.

헤어져라. 아코는 나를 좋아한다. 아코는 내 운명의 사람, 이런 식으로.

어째서인지 본인에게 말하지 않고 나한테 말하는 사람이 있더라니까.

"슈슈한테는 내가 제대로 말할 테니까 괜찮아. 여동생처럼 행동하는 건 민폐라고 제대로 전하면……."

"잠깐만요, 제가 할게요!"

아코가 내 말을 가로막으며 나에게 달려들 듯이 손을 들었다.

"한다니…… 뭘?"

"제가 싸우는 거예요!"

아코는 척 알통을 만드는 포즈를 잡고는 당차게 말했다.

"평소에는 루시안이 절 지켜주고 있으니까, 오늘은 제가 루시안을 지킬게요!"

기합은 엄청 느껴지지만, 알통이 전혀 튀어나오지 않아서 눈곱만큼도 믿음직스럽지 않았다.

"괜찮아? 그만두는 편이 좋을……."

"하게 해줘. 딱히 직접 말싸움을 하는 것도 아니잖아."

세가와가 즐거운 듯이 내 팔을 잡아당겨서 억지로 의자에 앉혔다.

어? 정말로? 시킬 거야?

"아코가 너를 위해서 이기고 싶다고 말하는 거라고? 귀엽잖아."

"그야 귀엽고, 기쁘긴 하지만……."

마음은 매우 기쁘지만, 어째서일까.

아코가 이긴다는 미래를 전혀 상상할 수 없었다.

"파이트!"

세테 씨의 콜루 전투가 시작됐다.

어딘가에서 공이 울리는 소리가 들린 것 같은 느낌이 들었다.

◆아코 : 잘 들으세요!

아코의 선제공격!

◆아코 : 저랑 루시안은 줄곧 둘이서 모험을 해왔다고요!

내 옆에서 하트 마크를 띄운 아코는 힘차게 채팅을 입력했다.

◆아코 : 나중에 튀어나와서 끼어들지 말아주세요!

그렇게 딱 잘라 선언하자 옆에서 평가가 날아왔다.

"아직 약하네~."

세테 씨의 신랄한 비평이었다.

아직 약하다고 한다. 언젠가 UC[#4]하는 건가.

◆슈슈 : 나중에?! 나랑 오빠 사이에 나중에 끼어든 건 아코 씨라고!

효과가 별로인 듯하다.

확실히 약했는지 착각계인 슈슈는 전혀 대미지를 입은 기색이 없었다.

◆슈슈 : 오빠에 대해서 아무것도 모르면서 잘난 척 하지 말아줘!

◆아코 : 뭐라고요…… 당신이야말로 루시안에 대해 뭘 안다는 건가요!

#4 UC 애니메이션 『기동전사 건담 UC』의 OST 「UNICORN」을 이용한 매드무비에서 음악이 고조되는 것에 맞춰 나오는 코멘트. 아직 약하다->흐름 변했네->완전승리로 이어진다.

◆슈슈 : 신장도 체중도 좋아하는 음식도 싫어하는 음식도 좋아하는 동물도 싫어하는 동물도 알고 있는걸!

"거짓말 하지 마! 너 스토커냐?!"

"너 본인도 파악하지 못할 것 같은 정보네."

"그러네."

확실히 싫어하는 동물 같은 건 바로 나오지 않는다고.

◆아코 : 완전 거짓말이에요! 어째서 그런 거짓말을 하는 건가요!

◆슈슈 : 거짓말 아니야! 아코 씨는 오빠에 대해서 아무것도 모르니까 그렇게 말할 수 있는 거야!

◆아코 : 아, 알고 있어요! 신장……은 모르고, 체중……도 못 들었고…… 좋아하는 음식…… 대부분 맛있다고 말해주고…….

◆슈슈 : 거봐!

◆아코 : 우, 우우우우우우.

"저기, 네 신부 벌써 지고 있는데."

"내 신부는 누구랑 싸워도 대부분 진다고."

누구랑 비교해도 다이어그램이 불리한 최약 캐릭터다.

아마 같은 캐릭터끼리 대전해도 7대3 정도로 아코가 불리.

◆루시안 : 아코를 괴롭히는 건 그만둬주지 않을래.

무심코 끼어들고 말았다.

착각계한테 져서 울상을 지으며 채팅 치고 있는 아코가

불쌍하잖아.

◆아코 : 루시안!

◆슈슈 : 봐봐, 이렇다니까!

그러나 슈슈는 울컥울컥 분노의 감정표현을 날리며 말했다.

◆슈슈 : 오빠는 귀찮은 애가 있을 때 도와주지 않으면 직성이 풀리지 않는 이상한 사람이니까 아코 씨의 착각으로 쓸데없는 민폐를 끼치지 말아줘!

"너를 잘 알고 있는 사람이네."

"어디가? 모르잖아. 자기 생각에 빠져서 이상한 소리를 하면 곤란해."

"그, 그런가?"

그렇다니까. 초보자를 도와주는 건 기존 플레이어의 의무고, 그 정도로 좋은 사람 취급 받는 것도 민폐야. 정말 유감스럽다고, 라고 주장하고 싶다.

"확실히 니시무라, 나한테 조작 알려줄 때도 엄청 익숙해 보이던데…… 자주 그래?"

"가끔이야. 가끔."

"가끔……이라……"

이야기를 나누는 와중에도 두 사람의 대결은 이어지고 있었다.

◆아코 : 아무튼 루시안에게 달라붙지 말아주세요!

◆슈슈 : 달라붙지 않았는걸!

서로 노려보며 일정 거리를 유지한 채, 그다지 빠르지 않은 채팅이 오고갔다.

◆슈슈 : 애초에 내가 오빠랑 같이 노는 게 뭐가 잘못인데?

◆아코 : 뭐가 오빠인가요, 루시안은 제 남편이에요!

◆슈슈 : ……남편?

막힘없이 채팅을 하던 슈슈가 거기서 놀라서 움직임을 멈췄다.

이것이 승기라고 판단한 아코가 말을 이었다.

◆아코 : 부부라고요! 제대로 결혼도 했어요!

◆슈슈 : 에, 에엑?! 정말이야? 오빠?

물어봤으니까 대답해도 되겠지.

◆루시안 : 아코는 내 신부야.

◆슈슈 : 에에에엑.

까가앙 하고 쇼크를 받은 얼굴로 슈슈가 고개를 숙였다.

◆슈슈 : 그런 거 이상해.

◆아코 : 뭐가 이상하다는 거죠!

◆슈슈 : 결혼이라는 건 좋아하는 사람끼리 하는 거잖아. 게임에서 하다니 이상해.

◆아코 : 좋아하니까 결혼한 거라고요!

◆슈슈 : 좋아한다니…… 그치만, 게임 속이잖아? 얼굴도 모르는 사람인데, 채팅만으로 좋아하게 된다니 이상한걸.

오오, 제대로 평범한 이견인걸.

직접 프로포즈한 적이 있는 내가 말하는 것도 그렇지만 이런 사람도 많다.

일반인이 본다면 이상하겠지. 채팅과 게임 안에서의 행동만으로 좋아하게 된다니.

하지만 정말로 있거든. 그런 마음.

◆아코 : 그렇지 않아요! 겉모습 같은 건 상관없이, 마음과 마음으로 좋아하게 된 거라고요. 근처에 굴러다니는 리얼충 따위보다는 훨씬 순수한 사랑이에요!

◆슈슈 : 그건 사랑이 아니라 망상이나 착각이라고 하는 거야!

◆아코 : 그런……!

까앙 하고 아코가 눈을 크게 떴다.

"망상…… 착각……."

효과가 굉장했다!

"강하네."

세테 씨가 확신하며 말했다.

"정확하게 아코의 아픈 부분을 찔러오는걸."

"슬슬 항복할 건가?"

"응석 받아주면 안 되는 거 알지?"

"하지만 아코의 응석을 받아주는 걸 그만두면 내 존재의의가 사라지잖아."

아코가 흐물흐물해져서 나에게 응석을 부릴 때 아아, 살아있구나, 라고 실감한다고.

굉장한 만족감이 있다니까, 이거.

"……너 말이야."

질린 얼굴의 세가와에게서 슬쩍 고개를 돌리고 으그그그극 하고 노려보던 두 사람에게 말했다.

◆루시안 : 왜 이렇게 된 건지는 모르겠지만 일단 그만둬.

◆슈슈 : 그치만 오빠.

슈슈는 납득이 가지 않는 모습이었다.

◆루시안 : 아코랑은 전부터 계속 함께 온라인 게임을 하고 있어. 옛날부터 죽이 잘 맞았거든.

벌써 몇 년 동안 함께 즐겼다.

어지간한 동급생이나 현실 친구보다도 훨씬 오래 지내왔다.

◆루시안 : 착각으로 보이는 것도 어쩔 수 없고, 이해하지 못하는 것도 알아. 그래도 우리는 사이좋게 지낼 거야. 그다지 남의 마음을 부정하는 말은 하지 말았으면 좋겠어.

부정할 수는 없고, 대꾸할 수도 없지만, 그저 슬퍼질 뿐이니까.

◆슈슈 : 우우, 그치만 오빠.

◆루시안 : 어허, 오빠가 하는 말을 들으라고.

오빠가 되었다는 생각으로 말하자 슈슈는 조금 고민하고는…….

◆슈슈 : 오빠, 아코 씨를 좋아해……?

◆루시안 : 좋아하는데?

"루시안!"

현실에서 나에게 덥석 달라붙은 아코의 머리를 쓰다듬었다.

몽실몽실한 감촉과 몽실몽실한 몸. 아코, 따스하구나.

"그래그래."

"……확실히 아코의 응석을 받아줄 때의 너는 참 생기가 넘치네."

그렇지? 이젠 라이프워크라니까.

◆슈슈 : 게임하고 현실은 다르니…… 게임 안이라면 상관없나…….

우우, 신음하며 슈슈는 침묵했다.

"어딘가에서 들은 소리를 하는데?"

"슈슈와는 친하게 지낼 수 있을 것 같은걸."

"루시안?!"

◆애플리코트 : 이야기가 정리된 건 잘 된 일이다만.

그때 마스터가 화면을 바라보며 씁쓸한 표정을 지었다.

◆애플리코트 : 여기서 어떻게 나가야 할까?

◆루시안 : 맞다. 갇혀버렸었지!

어쩌다보니 신부와 시누이 배틀 같은 것에 말려들어서 깜빡 잊고 있었어!

◆아코 : 루시안과 둘뿐이라면 계속 여기 있어도 괜찮은데요?

◆슈슈 : 그런 소리는 그만두세요. 오빠의 러브신 같은 건

보고 싶지 않거든요.

◆아코 : 싫어요. 부부니까 괜찮다고요.

아니, 사이좋게 좀 지내자고.

◆루시안 : 그런데 방 안에 아무것도 없네.

◆애플리코트 : 아니, 방에는 몇 가지 조사할 수 있는 곳이 있다.

◆세테 : 아, 진짜다.

마우스를 가져가자 글자가 표시되는 곳이 있었다.

하지만 나이프나 사과 같은 아이템 이름이 나올 뿐이었다.

으음. 뭐지. 클릭해도 반응이 없는데.

◆슈슈 : 아, 이거?

슈슈가 방구석에 있던 커다란 그림 앞에서 말했다.

◆슈슈 : 오빠오빠. 여기 뭔가 적혀있어.

◆슈슈 : 『올바른 자여. 이 문은 츠치헤닌삐후후후후후후후후후 열린다』라는데?

"왜 일부러 루시안에게만 말하는 건가요!"

"나한테 물어봐도 몰라."

그런 것보다 수수께끼를 풀고 밖으로 나가자고.

◆루시안 : 이 후후후후후후후후는 뭐지?

◆슈바인 : 웃고 있는 거 아냐?

왜 웃음거리가 되어야 하냐고.

이런 게임에 진지하게 임해서 어쩔 건데, 라고 말하고 싶은 거냐.

◆아코 : 루시안, 알겠나요?

◆루시안 : 으음, 이 깨진 글자 같은 말의 수수께끼를 풀어야 하는데…….

"……음?"

문득 고민하던 마스터가 고개를 들었다.

"깨진 글자…… 아아, 깨진 글자, 깨진 글자인가. 그런 거였군."

그리고는 손을 탁 치며 깨달았다는 표정으로 끄덕였다.

◆애플리코트 : 그렇군. 우리는 터무니없는 착각을 하고 있었다.

◆세테 : 알아냈어?

◆애플리코트 : 오히려 조금 고민하고 말았던 게 부끄러울 정도다.

역시 우리 길드의 두뇌 담당.

마스터가 눈을 번뜩 빛내면서 말했다.

◆애플리코트 : 잘 들어라. 이 『츠치헤닌삐후후후후후후후후』라는 말. 이건 깨진 글자다. 그것을 후후후후후후후후가 가리키고 있다.

◆세테 : 그게 무슨 말이야?

"……알았다."

"벌써 알아챈 건가요?!"

"반각이라고 생각하니 알아냈어……."

그래, 후후후후후후후후네…….

◆애플리코트 : 먼저 의미를 알 수 없는 글자열 후후후후 후후후후, 이건 노이즈이므로 삭제한다.

◆슈바인 : 갑자기 삭제해도 돼?

◆애플리코트 : 문제없다. 거기 나이프가 있지? 테이블 위다.

◆아코 : 있어요.

아코 앞에 있던 테이블에는 커다란 나이프가 놓여 있었다.

◆애플리코트 : 그곳에 마우스 커서를 가져가서 잠시 기다리면 팝업이 뜰 거다. 뭐라 적혀 있나?

◆슈바인 : 아이템 이름이 나올 뿐이잖아. 나츠프…… 나츠프?

"……나츠프가 뭐야?"

현실의 세가와가 어이없어했다.

너는 후발 플레이어니까 모르겠지.

◆세테 : 나이프잖아?

◆애플리코트 : 그래. 나이프다. 나이프가 어째서인지 나츠프가 되어 있다. 즉, 글자가 깨진 거다.

◆루시안 : 글자가 깨졌다기보다는…… 이거 베타테스트 때 있었던 수수께끼 언어잖아…….

◆애플리코트 : 고참인 루시안에게는 그리움이 느껴지겠군.

레전더리 에이지라는 이름에 맞춰서 전설어(語)라고 불리던 버그다.

여러 아이템의 이름이 잘못 표기되질 않나, 아이템 효과가 잘못되질 않나, 겉모습이 이상하게 나오질 않나. 이 게임, 베타판 시절에는 버그가 상당히 많았다. 전설어도 그중 하나다.

즉, 셀프 디스 수수께끼 풀이라는 건가…… 이런 걸 잘도 하네.

◆애플리코트 : 이것처럼 눈에 띄는 아이템을 훑어보자.

◆슈슈 : 이 당근(ニンジン, 닌진), 닌헨(ニンヘン)이라고 적혀 있어.

◆아코 : 자벨린이 하벨린으로 되어 있어요.

◆세테 : 사과(リンゴ, 링고)가 링삐(リンピ)로 되어 있어ㅋ 링삐라니 뭐야ㅋ

링삐는 링삐야. 그것 말고는 아무것도 아니라고.

◆루시안 : 카타시무리의 껍질이라거나 츠데로헤뎀 베톤이라든가, 그립네.#5

◆아코 : 그거 일본어인가요……?

전설어, 아닐까.

◆애플리코트 : 나머지는 간단하다. 올바른 자— 즉, 올바른 단어로 고치면 된다.

츠를 이로, 헤를 지로, 니를 카로, 삐를 고로.

#5 카타시무리의 껍질, 츠데로헤뎀 베톤 카타츠무리(일본어로 달팽이)→카타시무리, 옐로젬 스톤→츠데로헤뎀 베톤. 게임 『라그나로크 온라인』일본판 베타 버전의 문자 번역 버그, 통칭 중력어의 예시이다.

그러자 완성된 말은—.

◆슈슈 : 한 시간 후(イチジカンゴ, 이치지칸고)…… 한 시간 후! 한 시간 후야, 오빠![#6]

◆아코 : 한 시간 후에요, 루시안!

◆루시안 : 그렇습까.

이 분위기 정말로 괴로우니까 그만둬주세요.

◆애플리코트 : 그렇다. 즉, 이 문은…… 한 시간 후에는 열리는 거다!

뭐, 뭐라고~.

—.

"뭐라고?!"

"리액션이 느리네."

"그치만 한 시간이나 열리지 않는 거라고! 부활동 끝날 때까지 이대로잖아!"

"이상하다고 생각했다. 수수께끼 풀이치고는 문자입력을 할 곳이 없고, 클릭도 반응하지 않았으니까. 계기가 다른 곳에 있었을 줄이야."

수수께끼를 풀고 만족한 마스터야 괜찮겠지만 이거 어쩔 거야. 한가해졌잖아…….

◆슈슈 : 시간경과라니, 어쩔 거야?

#6 한 시간 후(イチジカンゴ, 이치지칸고) 본문의 수수께끼 츠치헤닌삐(ツチヘニンピ)에 단어의 올바른 철자를 대입하면 이치지칸고(イチジカンゴ), 즉 일본어로 「한 시간 후」라는 문장이 완성된다

슈슈가 나에게 다가왔다.

어쩔 거냐고 물어도, 할 건 아무것도— 아아, 맞다.

그래, 알았다.

이 이벤트의 원래 목적이다.

◆루시안 : 그렇구나…… 한 시간 동안 함께 시간을 때우면서 친해지라는 건가……?

◆아코 : 그럼 루시안, 같이 이야기를 하죠! 둘이서! 한 시간 동안 실컷!

◆루시안 : 그런 취지가 아닐걸, 아마도…….

◆슈슈 : 오빠한테 민폐 끼치지 말라니까요!

◆아코 : 끼치지 않아요!

이 녀석들은 사이좋게 되지 않으려나…….

††† ††† †††

그로부터 대충 一時間後— 이치지칸고(한 시간 후).

◆아코 : —그래서 제가 몇 번이나 죽어서 너덜너덜해졌을 때, 분명 리타이어하겠구나, 라고 생각한 그때, 루시안이 말했어요. 『마지막으로 한 번 더 가보자』라고요.

◆슈슈 : 오빠가?

◆아코 : 네. 『이대로 끝나버리면 아코의 첫 도전이 씁쓸한 추억으로 끝나버리잖아. 적어도 보람 정도는 느껴줬으면 하

거든. 모두 잘 하니까, 가능한 범위 안에서 지원해줬으면 좋겠어』라고 멋지게 말했죠! 스스로 선두에 서서 달려갔다고요!

◆슈슈 : 오빠, 그런 소리를 했구나…….

◆루시안: 그만둬어어어어어어어.

왠지 사이가 좋아졌어!

내 부끄러운 추억을 소재로 삼아서 사이가 좋아졌다고!

◆루시안 : 아니거든! 그렇게 말하면 뭔가 폼 잡는 것처럼 보이잖아! 처음 하는 아코가 실수를 해서 사과하는데 베테랑은 어드바이스도 지원도 하지 않은 채 실수해서 죽는 걸 일부러 방치하는 분위기여서 그랬다고!

공략법을 모르면 죽는 어려운 보스전이었단 말이야.

적의 공격은 지금이라면 피할 수 있다, 이 메시지가 나오면 광역 공격이 나온다 같은 어드바이스만 있다면 첫 도전인 아코도 조금은 더 괜찮게 할 수 있을 거라 생각했다고.

하지만 탱커를 맡고 있었는지라 좀처럼 채팅을 칠 수가 없었단 말이지.

◆루시안 : 『예습해오지 않는 녀석은 쓰레기』 같은 표정으로 초보자가 실패해서 죽는 걸 일부러 방치하고 백안시하는 상급자들을 보는 게 싫었다고! 모두 함께 제대로 지원을 해주면 편해지는데다 이길 수 있을지도 모르니까 좋은 일밖에 없잖아!

◆아코 : 그쵸, 그쵸? 멋있죠?!

◆루시안 : 멋있는 이야기가 아니라고!

탱커라는 건 파티의 분위기에 민감해!

탱커가 폭발하면 파티는 그냥 끝나버리니까.

무슨 일이 있더라도 온화하게, 딜러님 힐러님 언제나 고맙습니다. 초보자라도 괜찮습니다. 하지만 아코는 힐 좀 빨리 해주라, 라는 정신으로 하고 있단 말이지.

◆아코 : 그럼 다음은 사랑의 메모리 제12장으로―.

◆루시안 : 아직도 있는 거냐. 이제 그만하라고…….

◆슈슈 : 계속 들으면서 생각한 건데…….

슈슈가 툭 중얼거렸다.

◆슈슈 : 아코 씨가 오빠한테 민폐를 끼치는 이야기밖에 없던데…… 아코 씨는 오빠한테 뭔가 해주긴 했어?

쩌적 하는 소리를 내며 현실의 아코가 경직됐다.

◆아코 : 저는, 저기, 그게…… 편, 편안함을 드리고…….

◆슈슈 : 구체적으로 뭘 하는데?

◆아코 : 구체적이라는 말은 싫어요. 사람을 몰아세우는 단어에요!

◆루시안 : 정말로 아코가 있으면 편해지니까 딱히 문제는 없는데.

인간관계라는 건 득실이 아니니까.

참고로 채팅을 하는 우리 말고 남은 세 명은 어쩌고 있느냐면…….

"이거 좀 봐봐, 때때로 고양이가 화면을 가로지르는 앱!

좋지 않아? 좋지 않아?"

"그런 건 처음에는 즐겁지만, 잊을 때마다 나오면 움찔하며 휴대전화 떨어트리지 않아?"

"기껏해야 화상 앱인데도 위치정보부터 통신내용까지 송신하는 설정이 되어 있는 건가……."

"거, 거짓말?!"

세 사람은 이제 화면을 안 보고 있었다.

컴퓨터 앞에 앉아서 휴대전화 보고 있어. 그거 컴퓨터 필요 없잖아.

그런 소리를 하던 중 겨우 한 시간이 지난 모양이었다.

『츠치헤닌삐후후후후후후후후』의 그림이 흔들리더니 크게 뒤로 쓰러졌다.

그 너머에는 빛나는 워프게이트가 보였다.

◆루시안 : 겨우 이동할 수 있겠네.

◆슈슈 : 한 시간 지났나봐.

채팅을 하고 있다 보니 빨리 지나갔지만, 그럼에도 한 시간은 길었다.

다음 맵에서 또 한 시간 기다리라고 하면 그때는 마을로 돌아갈 거다.

그리고 부실에서 잡담을 즐기던 너희들, 끝났다고~.

"이동할 수 있어~ 화면 봐~."

"벌써 이벤트 끝났어?"

"겨우 다음 곳으로 갈 수 있게 된 거야."

AFK[#7] 상태였던 멤버들을 끌고 워프게이트로 들어가자 인원수만큼의 산타모자가 걸려 있었다.

이게 보수 아이템인가?

"귀여워!"

"여기서 올해의 산타모자를 배포하는 건가."

"효과가 거의 없잖아……."

부여효과는 운+1뿐. 이건 실제로 써먹기 힘들겠군.

머리 장비는 기본적으로 우수하니까 겉모습만 그럴싸한 장비는 그냥 창고의 거름행이라고.

참고로 창고는 아무리 비옥해져도 아이템을 구분하기 힘들 뿐 이득은 없다.

"귀엽잖아요."

"귀엽네."

아코와 세테 씨는 기뻐하며 모자를 쓰고 있었다.

이런 거 좋아하는 건가?

"여자들은 좋아하고 있네."

"우리는 여자가 아니라는 뜻이잖아……."

결코 그렇지 않은데YO?

그리고 다음 맵으로 나가자 그대로 이벤트 회장으로 돌아왔다.

#7 AFK Away From Keyboard. 키보드에서 손을 떼고 자리를 비운 상태를 말한다.

이걸로 이벤트맵은 끝난 건가.

"대충이네."

"운영진한테는 기발한 이벤트를 할 여력이 없다고."

"오히려 노력한 편이겠지."

마스터는 자기가 수수께끼를 풀었기 때문에 엄청 만족스러워했다.

뭘 하든 간에 한 시간 만에 끝나는 이벤트라면 뭐, 나쁘지는 않네.

게시판에서는 『생산소재 잔뜩 들고 가라』는 낚시가 성행하고 있고.

◆GM01 Nyack : 여러분, 즐거운 시간 보내셨습니까?

냐크땅에게서 메시지가 들어왔다.

◆GM01 Nyack : 오늘 친구가 된 분과 함께 크리스마스를 보내는 것도

◆GM01 Nyack : 좋지 않을까요?

◆GM01 Nyack : 그럼 올해 크리스마스 이벤트 제1탄

◆GM01 Nyack : 대탈출 파티 제1회를 종료하겠습니다.

◆GM01 Nyack : 메리 크리스마스!

메리 크리스마스! 라고 회장 안의 캐릭터가 합창했다.

조금 전 받은 모자를 모두 장비하고 있는지라 회장 안이 정말로 크리스마스 당일처럼 보여서 상당히 멋진 광경이었다.

"이걸로 첫 번째 이벤트는 모두 끝인가. 냐크땅이 있는 차

레라 다행이네.”

“그나마 낫긴 했네. 중간부터 들어오는 사람은 전부 자막뿐인 것 같으니까.”

“우우우, 다음에는 절대로 슈슈한테 지지 않을 거예요.”

아코, 초면인 사람한테 수수께끼의 대항심을 불태우지 말아줘.

사이좋게 지낼 수 있는 사람이었다고. 슈슈.

그런 내 마음을 느낀 건 아니겠지만, 슈슈에게서 채팅이 날아왔다.

◆슈슈 : 오빠, 이벤트 끝나면 어쩔 거야?

◆루시안 : 일단 돌아가려고 하는데.

◆슈슈 : 그래. 다행이네.

◆아코 : 그런 소리를 물어서 어쩔 건가요. 당신하고는 여기서 작별인데요?

◆루시안 : 넌 왜 그렇게 공격적이냐고…….

친하게 지내라고는 하지 않겠지만 일부러 적극적으로 싸울 필요도 없는데 말이지.

◆슈슈 : 아, 아코 씨. 오빠에 대해서 또 물어도 될까? 라인 같은 거 하면 가르쳐줄래?

◆아코 : 안 해요.

“하…….”

하고 있잖아! 라고 바로 태클을 날릴 뻔했다.

악녀다, 악녀가 있어!

휴대전화를 톡톡 두드리면서 『나 휴대전화 안 갖고 있거든~』이라고 말하며 전화번호를 가르쳐주지 않는 여자 정도로 악녀 같았다.

"태연히 거짓말을 하네, 아코……."

"네?"

내가 중얼거리자 아코는 화면에서 눈을 떼고 의아하다는 듯이 말했다.

"그렇지 않아요. 루시안한테는 웬만해선 거짓말 안 한다고요."

"상대가 적이라면 거짓말을 한다는 인식조차 없는 거냐!"

게다가 웬만해선, 이라는 건 뭐야?! 가끔이라도 거짓말하는 건 그만둬!

◆슈슈 : 우우, 알았어. 게임 일이니까, 딱히 상관없는걸.

◆아코 : 그럼 안녕히 가세요! 저와 루시안은 이대로 같이 갈 테니까요!

슈슈는 이겼다는 듯이 말하는 아코를 게슴츠레한 눈으로 보면서 말했다.

◆슈슈 : 아코 씨. 정말로 오빠에게 민폐만 끼치는 건 그만둬. 친한 사람한테 계속 곤란한 일을 겪으면 불쌍하잖아.

◆아코 : 그렇게 민폐만 끼치는 건 아니에요!

아코는 그렇게 말한 뒤, 잠시 뜸을 들이며 중얼거린다.

◆아코 : ……아, 아마도…….

◆슈슈 : ……하아.

"우우우우우."

"아냐, 민폐 아니야. 괜찮아."

아아, 정말. 대놓고 한숨을 내쉬니까 아코가 울상을 짓고 있잖아.

◆슈슈 : 그럼 오빠. 나중에 또 봐.

슈슈는 그렇게 말하며 로그아웃 이펙트와 함께 사라졌다.

"정말로 시누이 같은 사람이었어요……."

"그 어그로, 진짜 내 여동생한테는 돌리지 마라?"

좋은 사람도 있지만 역시 이상한 사람도 있기는 하단 말이지.

저렇게 캐릭터를 만드는 사람도 싫지는 않지만.

비집고 들어오는 건 받아들일 수 없지만 뭐, 이런 게 온라인 게임 아니겠어? 응.

"……방금 그 사람, 니시무라의 여동생……은, 아니지?"

세테 씨가 뭔가 복잡한 표정으로 말했다.

그럴 리가 있나. 걘 게임에 흥미 없어. 게다가 그 녀석은 지금 수험공부에 열을 쏟고 있다고.

온라인 게임 안에서 우연히 만나는 일이 있을 리가 없잖아.

"아냐아냐. 절대 아냐. 뭣하면 전화라도 해서 물어볼까?"

"아냐. 거기까지는 안 해도 돼. 하지만 슈슈는, 왠지……."

뭡니까. 그렇게 빤히 보지 말아주세요. 반할 것 같잖아요.

"니시무라랑 조금 분위기가 비슷한 것 같은……."

"에이, 그럴 리가 없잖아."

"루시안은 그런 사람하곤 전혀 달라요!"

"그런가아……?"

아키야마는 납득 가지 않는 것 같았지만 곧바로 뭐, 상관없나, 라며 고개를 끄덕였다.

"그래서, 이걸로 모두 다음 이벤트에 참가할 수 있는 거지?"

"음. 여기서 맺은 커플은 딱히 이후에 영향을 주지는 않으므로 신경 쓰지 말라고 한다."

"이후까지 끌고 가면 곤란하다고."

세가와가 살짝 아키야마를 보며 아하하, 하고 가볍게 웃었다.

"백합 커플이니까."

"나는 아카네와 커플이라도 딱히 상관없는데?"

"엑?!"

그렇게 말한 그녀는 진심이라고밖에 볼 수 없는 미소를 짓고 있었다.

"레즈 특유의 미소야……."

"크레이지 사이코 레즈에요, 루시안……."

"이렇게나 누가 들으면 오해할 소리를 들은 건 나생 처음

이야…….”

미소가 쓴웃음으로 변하고 말았다.

하지만 쓴웃음만으로 넘어가는 아키야마도 대단한 인재라고 생각해.

“다음 이벤트는 뭐야?”

“발표는 다음 주다. 그때까지는 참아야겠군.”

하나씩 발표하는 타입의 이벤트네.

크리스마스 직전에 세 번째 이벤트를 발표하는 흐름인가?

“……그래서, 처음 이야기로 돌아갈 건데.”

긴장이 풀린 우리를 둘러보며 세가와가 어깨를 으쓱했다.

“이 제1회에서 했던 걸 우리 크리팟에서 한다면 뭘 할 건데?”

이 이벤트를 현실에서도 한다면…….

“탈출 게임, 인가?”

“하지만 결과적으로는 한 시간 동안 계속 떠들기만 했었지?”

“그냥 미팅 이벤트였던 것 같은데.”

“그럼…… 미팅?”

이 멤버로, 미팅을 하자고?

남녀비율상으로 그게 미팅으로 성립되긴 하나?

“남자가 나밖에 없잖아.”

“괜찮지 않아? 오히려 진짜 미팅이었다면 하고 싶지 않은데?"

"남자가 있으면 싫으니까요."

그야 지당한 말이군.

어떤 남자가 아코에게 말을 걸어와서 새카매지는 미래밖에 보이지 않는다.

"으음…… 게다가 다들 미팅 같은 건 제대로 못할 것 같고……."

"실례네. 하고 싶지 않은 것뿐이라고, 못한다고는 안했어."

세테 씨가 안쓰러운 듯이 말하자 슈가 분노에 찬 목소리를 냈다.

"미팅 정도는 가볍다고. 뭣하면 누구보다도 잘 해주겠어!"

"우와, 너 단언하네."

"그런가…… 그렇다면."

마스터가 눈을 반짝 빛냈다.

"크리스마스 이브에는 여기서 미팅을 한다! ―는 걸로, 괜찮겠지?"

그렇게 되었다.

††† ††† †††

조금 풀린 머플러 끝을 뒤로 돌린 나는 등줄기를 크게 폈다.

"하지만 다행이네…… 아코네 아버지한테 인사를 간다는

공포의 크리스마스가 되지 않아서…….”

돌아가는 길.

내가 한껏 안도하는 마음으로 그렇게 말하자 아코가 조금 시무룩하게 말했다.

“저희 집에서 파티를 하는 게 그렇게 싫었나요?”

“그야 환영은 아니지.”

중지가 된 지금도 무서울 정도다. 이제 쓴웃음밖에 나지 않아.

“상상해보라고. 아코도 우리 집에 와서 가족에게 인사하자고 하면 싫잖아? ……아아, 싫지는 않나?”

맞다. 이 논리는 통하지 않았다— 라고 생각했는데, 아코는 진지한 표정으로 고개를 끄덕였다.

“화, 확실히 싫네요! 가고 싶지 않아요!”

“갑자기 왜 심경의 변화가 생긴 거야?”

“그치만 그런 여동생이 있다면 무섭잖아요!”

“내 여동생은 슈슈 같은 녀석이 아니라고!”

좀 더 말이 통하는 여동생이라니까.

인기 없는 오타쿠 오빠인 나에게도 조금은 사이좋게 지내줄 정도로 이해심이 투철한 아이야.

“그보다 모두 함께 크리스마스를 보내자는 걸로 정해졌는데, 그쪽은 괜찮아? 가족과 보내고 싶다면 아코는 빠져도 돼.”

“아뇨아뇨, 매년 크리스마스는 집에서 보냈으니까 모두 함께 논다면 대환영일 정도에요. 게다가 마스터도 홀로 둘 수는 없잖아요."

"공원에서 시간을 때우는 마스터는 보고 싶지 않아……."

"지나가는 커플이 소곤소곤 이야기를 하면서 옆을 지나가겠죠……."

그만두라고!

"애초에 루시안이 와주지 않으면 의미가 없다고요. 오히려 루시안이 간다면 이런 곳이든 저런 곳이든 어디라도 따라갈 거예요."

이런 곳이나 저런 곳이 대체 어딘데…….

내가 차가운 눈으로 보는 것도 깨닫지 못한 채 아코는 헤실헤실 풀어진 얼굴로 말을 이었다.

"오히려 제가 루시안을 데리고 이런 곳이나 저런 곳으로…… 그리고 우리는 어른의 계단을……."

"어~이, 아코~."

"아아 루시안, 부끄러워요……. 하지만 루시안이라면 전, 전……!"

"부탁이니까 돌아와~."

내 신부가 조금 남들이 봐서는 안 될 표정을 짓고 있는데.

그리고 그 꿈틀꿈틀 움직이는 양손은 뭘 하려는 거야?

네 상상 속 나는 뭘 당하는 건데?

"—앗, 죄송해요. 루시안과 모닝 커피를 마시는 부분까지 상상했어요."

"거짓말 하지 마. 너, 줄곧 힐끔힐끔 내 얼굴 보고 있었잖아."

넌 연기가 서툰 녀석이니까 무리하지 말라고.

"그치만 12월 24일 오후 아홉 시부터 다음 날 25일 오전 세 시까지의 여섯 시간은 1년 중 가장 섹스를 하는 사람이 많은 『성(性)의 여섯 시간』이라고요."

"가슴 펴고 말하지 마!"

큰소리로 섹스라고 하지 말라고! 여자아이니까!

"모든 걸 포기하죠. 그리고 함께 싸우자고요."

"그건 슬금슬금 나한테 다가오면서 할 소리가 아니야!"

"냐웃."

툭, 머리를 때리며 태클을 걸자 겨우 아코가 진정해주었다.

"크리스마스인데요? 조금 정도는 괜찮잖아요."

"나는 그래도 상관없지만, 아코가 부모님한테 인사니 뭐니 하는 말을 꺼냈잖아."

"엑."

무릎을 푹 꺾은 아코가 그 자리에 멈춰 섰다.

돌아보니 절망적인 표정으로 부들부들 떨고 있었다.

"왜, 왜 그래?"

"저기, 만약 평범하게 데이트하자고 했다면, 모닝 커피를 마실 수 있었던 건가요?"

"거기까지는 보장할 수 없지만, 나도 건전한 남자 고등학생이고, 크리스마스 분위기에 편승해서 어쩌면, 같은 두근두근한 마음은 품고 있었지."

그리고 그건 박살났다.

부모님 앞에서 아코와 좋은 분위기를 만들 정도로 내 레벨은 높지 않다고.

"지, 지금이라도 늦지 않았어요! 마스터에겐 공원 루트를 부탁하죠!"

"늦었어, 이미 늦었다고!"

그렇게 좋아하던 마스터에게 역시 우리는 캔슬~, 이라고 말할 수 있겠냐!

"연인들의 크리스마스는 중지야 중지. 매년 하고 있으니까 슬슬 질렸다고."

"우우, 어쩔 수 없네요……."

아코는 말하는 것과는 반대로 전혀 어쩔 수 없지 않은 표정으로 시무룩하게 걸음을 재개했다.

"크리스마스 중지란 말이 나와서 말인데, 전부터 이상하다고 생각했어요."

그때 아코가 툭 내 몸에 기대며 물었다.

"온라인 게임을 하는 사람들 중에선 크리스마스 같은 건 중지하는 게 낫다는 사람이 많잖아요."

"그렇지."

거기에 이의는 전혀 없습니다.

그때 로그인하지 않는 녀석한테 조금 짜증을 내기도 하는 우리들입니다.

"그럼 왜 크리스마스 이벤트 같은 걸 하는 건가요? 하지 않는 편이 기쁘잖아요?"

"……아아…… 그건 말이지."

이유야 있다. 크리스마스니까 일단 이벤트를 하면 된다는 안일한 생각 말고도, 제대로 된 이유가 있다고.

나는 한손을 꽉 쥐고는 슬픈 과거를 돌이켜봤다.

"이건 꽤 옛날 일이야. 아코는 모를 어떤 게임에서 크리스마스 이벤트가 있었어."

"LA 같은 이벤트인가요?"

그래그래, 라고 끄덕이며 말을 이었다.

"그 이벤트에서 플레이어는 두 진영으로 갈려서 싸웠어. 크리스마스를 기대하는 부대와, 크리스마스를 부수고 싶은 부대야."

"직접대결인가요!"

"그랬다니까. 그래봤자 포인트로 경쟁하는 거였지만."

어느 쪽에든 소속되어 이벤트를 참가하고, 획득 포인트가 많은 쪽이 우승.

승리팀에게서 유래한 아이템을 전원에게 증정한다는, 어느 쪽에 소속되더라도 손해는 없는 이벤트였다.

"기대하는 부대가 이기면 멋진 크리스마스를, 부수고 싶은 부대가 이기면 크리스마스 중지. 그런 테마였는데 말이지."

"어디가 이겼나요?"

"말할 것도 없지. 부수고 싶은 부대의 압승이었어."

"그렇겠네요!"

거기서 기뻐하는 건 대체 뭐야?

현실에서 부수고 싶은 부대가 나타난다면 응원할 것 같은 텐션이었다.

"정말로 큰 차이였어. 거대 게시판에서 개입한 온라인 투표 페이지 정도로 큰 차이가 있었거든. 그 결과, 이벤트 기간 중에는 어떤 마을에도 크리스마스다운 장식이 달려 있었는데— 크리스마스 당일에는 장식이 사라졌어."

"전부 사라진 건가요?"

"그래. 전부 사라졌어. 일루미네이션이고 트리고 산타고 모두 사라지고, 전부 평소 때의 마을로 돌아갔어. 그야말로 크리스마스 중지라는 느낌이었지. 우리는 이겼어. 완전무결한 승리를 거뒀어. 그런데, 어째서일까. 그때가 되니 굉장히—굉장히 허망해졌어."

가슴속에 찾아온 상실감.

말로 다할 수 없는 패배감.

눈을 돌렸지만, 오히려 현실에 짓눌리는 것 같은 괴로움.

"……루시안, 크리스마스 부수고 싶은 부대였던 거네요."

그건 큰 문제가 아닙니다.

"그래서 말이지, 이후에는 똑같은 이벤트가 있더라도 크리스마스를 기대하는 부대가 이기게 되었어. 중지다 중지다 떠들어대도 역시 신경은 쓰이더란 말이지. 없어지면 쓸쓸해."

"호오, 그렇군요."

크리스마스 짜증난다고 큰소리로 외칠 수 있는 곳도 온라인 게임 정도니까 말이지.

"저도 올해는 기대되지만, 작년에는……."

"나도 그랬지……."

하아, 하고 둘이서 한숨을 내쉬었다.

하얀 숨결은 사라질 때까지 서로 뒤엉키면서 공중으로 흘러갔다.

올 겨울은 꽤 춥네. 지구온난화는 어디로 간 거야. 자기 맘대로 여름만 온난화시키는 건 그만두라고.

"저기, 아코. 나도 전부터 신경 쓰이던 건데."

지금 생각났다는 듯이 입을 열었다.

"네?"

아코가 내게 고개를 돌렸다. 그 전신에 순간적으로 눈길을 주고 물어봤다.

"스커트는, 안 춥냐?"

"추워요."

그건 정말 근사할 정도의 즉답이었다.

"……역시 춥구나."

그렇지. 내성이 전혀 없어 보이더라니까.

"솔직히 한 걸음 걸을 때마다 대미지를 먹는 기분이에요."

"그, 그렇지?"

"수영복 차림으로 설산에 가는 게임 속 저처럼 되고 싶어요……."

"나는 여름에 그렇게 생각했어……."

그렇구나. 보이는 것처럼 춥구나.

"그렇게 다리가 노출되는 옷을 교복이라면서 매일 입는 거, 실은 엄청 무리하는 것 아닌가 싶더라니까."

"스타킹이나 타이츠 같은 건 어째서인지 교칙에서 금지하고 있으니까요. 속에 체육복을 입으면 낫긴 하지만……."

"교복 속에 체육복은 그만두라고. 매력치 마이너스 보정이 엄청나니까."

존경하던 폐인 플레이어가 초보자에게 폭언을 내뱉을 때 정도의 마이너스 보정이 걸립니다.

최악의 경우 남자 전용 게시판에서 까입니다.

"그럴 것 같아서 안 입어요."

아코는 그렇게 말하며 생긋 웃었다.

"웃고는 있지만, 그건 요컨대 나를 위해 추위를 참고 있다는 거 아니야?"

"결혼하니까 몸가짐에 신경을 쓰지 않게 되었다고 여겨지는 건 싫으니까요!"

왜 그런 부분만 노력하는 거야.

평소에는 나에게 온갖 응석 다 부리면서, 부부니까 어떤 자신이라도 사랑해달라는 나쁜 응석 같은 건 안 부린단 말이지.

"보세요. 추워서 다리에 닭살이 돋았어요. 계속 이런다니까요."

"우왓, 진짜냐?"

"잠깐 만져보세요."

아코의 재촉을 받아 하얀 다리에 손을 뻗었다.

아코의 다리, 스커트와 무릎 사이를 만져보자 평소에는 매끄러웠던 피부가 조금 까끌까끌한 느낌이 들었다.

"그렇죠? 피부가 거칠어진 것처럼 돼버렸어요."

"그러네……."

"그치만 루시안의 손, 따뜻하네요."

확실히 아코의 다리는 꽤나 차가운 것처럼 보였다.

손에 조금 힘을 주자 부드럽게 되밀어낼 정도로 몽실몽실 부드럽다. 만지기 좋았다.

건드리는 사이 손이 약간 다리 안쪽으로 들어가서 스커트 자락이 흔들렸다.

"……후아앗."

아코가 조금 참는 듯한 소리를 흘렸다.

왜 그렇게 조금 에로한 목소리를 내는 건데?! 그만두라고 두근두근 거리잖아. 나는 그저 다리를 만지고 있을 뿐 아무 일도 하지 않우와아아아아아아아아아아악?!

"우, 우와앗! 미안!"

"네?"

내가 필사적으로 몸을 젖히자 아코가 폴짝 뛰며 다가왔다.

"왜 그러시나요?"

"왜 난 길 한가운데서 동급생의 다리를 만지고 있는 거야?!"

"전혀 신경 안 쓰는데요."

"조금 정도는 신경써달라고. 자칫하면 사건이란 말이야."

통학로에서 남자가 여고생의 허벅지를 만지는 사건이 발생.

범인은 흑발에 중간 몸집, 중간 키, 교복을 입은 남자— 범위가 너무 넓군.

"추우니까 조금 어루만져서 따뜻하게 해주세요."

"무리."

서포시.[#8]

내가 실망하는 게 싫어서 추운 걸 참고 있는 건 매우 고맙지만, 그 대신 손으로 만져서 따뜻하게 해달라는 건 좀 무리입니다.

"이, 밎나."

#8 서포시 게임 『파이널 판타지 11』에서 어떤 나이트가 요청을 거부할 때 「무리ㅋㅋㅋ서포시ㅋㅋㅋㅋ」라고 한 것으로 유래된 유행어. 서포시(서포트 잡이 시프)라 서포트 잡이 전사일 때 쓸 수 있는 도발을 못 쓴다는 게 본래 의미.

뒤에 두르고 있던 머플러를 풀어서 끝부분만 목에 감았다.
남은 길이를 보고 이 정도면 괜찮겠다고 판단했다.
"아코, 이리 와 봐."
"네?"
아코에게 손짓을 하자 지시대로 근처까지 왔다.
너무 순순하지 않아? 이 녀석 어디서 사탕 받고 유괴당하지 않았으면 좋겠다.
"이걸, 아코한테도……."
옆에 선 아코의 목에 남은 머플러를 감아줬다.
둘이서 한 머플러를 두르고 달라붙은 채로 터벅터벅 걸었다.
"뭐죠, 이거 리얼충 같은데요!"
"근데 조금 짧네."
"늘어날 것 같아요."
머플러보다 아코의 열이 높을 정도라 굉장히 따스하긴 한데…… 길이가 부족했다.
"조금 무리였나. 미안."
이런 건 역시 전용 물건이 있는 거려나.
"비리얼충이 대충 듣기만 하고 저지르면 실패한다니까. 엔드 콘텐츠는 사전에 확실히 예습해야만 했나."
"그치만 예습 단계에서 의욕이 사라지지 않나요?"
"동영상 같은 거 보면 우울해지더라."
이건 과연 머플러 이야기일까 엔드 콘텐츠 이야기일까.

나는 리얼충의 『달링과의 러브러브 영상☆』에 대한 이야기였는데.

"그래도 괜찮아요."

아코는 더욱 다가붙으면서 얼굴을 스윽 기대며 머플러를 다시 감았다.

"이러면 제대로 감을 수 있어요."

"잠깐, 가까워가까워."

"에헤헤."

팔에 달라붙어서 얼굴을 문지르며 전신을 맡기듯이 기대고 있다.

"따스해라……."

밝은 미소를 짓고 있다는 것을 보지 않고도 느낄 수 있는 거리.

입가에서 흐르는 하얀 숨이 내 것인지 아코 것인지 모르겠다.

하지만 그것은, 긴 시간 하얗게 남을 정도로 무척 뜨거운 숨결이었다.

††† ††† †††

조금 다른 곳에 들렀다 돌아오자 주변은 이미 새카매져있었다

춥다 추워, 라고 양손을 비비면서 현관을 열었다.

"다녀왔습니다."

"어서 와, 오빠."

거실에서 대답이 있었다.

기대하지 않았는데 대답이 나오는 건 조금 기쁜걸.

평소에는 그대로 방으로 돌아가지만 오늘은 거실 쪽에 얼굴을 내밀었다.

"오빠 늦어."

소파에 앉아서 거실용 노트북을 보고 있던 여동생이 내게 고개를 돌리지 않은 채 말했다.

"미즈키, 벌써 돌아온 거냐. 빠르네."

"오빠가 늦은 거야. 요즘 계속 나보다 늦는걸."

"부활동이 있으니까."

"부활동이라는 것도 온라인 게임이잖아?"

"그야 그렇지만."

"정말, 계속 그것만 하고."

왠지 불만스럽게 중얼거린다.

그야 뭐, 자기는 매일 공부 삼매경인데 오빠가 놀고 앉아 있으면 짜증도 나겠지.

그러고 보니 한동안 아코에, 부활동에, 온라인 게임 등, 여동생과는 전혀 얽히지 못했다.

고1인데다 공부에서 해방된 오빠가 느긋하게 말을 걸어봐야 방해될 거라 생각하기도 했고.

딱히 그걸로 토라진 건 아니겠지만, 조금 이야기를 해볼까 해서 가볍게 다가갔다.

“뭐해? 미즈키가 컴퓨터를 쓰고 있는 건 오랜만에 보는데.”

“잠깐 숨 돌리고 있을 뿐이야.”

크게 기지개를 켜며 소파에 기댄 미즈키가 나를 바라봤다.

짧은 머리카락이 비스듬히 흐트러지고, 커다란 눈이 약간 불만스러운 듯이 흔들리고 있었다.

“맞다. 오빠. 묻고 싶은 게 있는데.”

“응?”

“오빠는 신장 170센티미터 정도지?”

“뭐, 대충 그 정도.”

신체검사 때 턱걸이로 신장을 늘리고 나서 재겠다는 이벤트가 남자들 사이에서 유행한 탓에 조금 높게 기록되긴 했지만.

“체중은 55킬로그램 정도지?”

“그렇지.”

“좋아하는 음식은 매운 거고, 싫어하는 건 시큼한 거잖아.”

“응. 매운 건 좋아하지.”

“좋아하는 동물은 토끼고, 싫어하는 동물은 하마.”

“토끼는 좋아하지만…… 하마가 싫다는 말을 했었던가?”

“하품을 할 때 입이 무섭다고 했는걸.”

왜 그런 걸 기억하는 거냐.

확실히 토끼는 좋아하지만. 언제나 발정기라는 걸 듣고 나서 왠지 더 좋아졌다.

“전부 맞지?”

“맞긴 하지만…… 왜 그러는데?”

“봐봐, 맞잖아!”

왜 콧김을 내뿜고 있는 거냐고.

“맞는걸…… 거짓말 같은 건 안 했는걸…….”

“미즈키, 대체 무슨 소리야.”

역시 지친 건가.

그렇겠지. 나도 수험공부 할 때는 울컥한 적이 있으니까.

좋아. 그럼 이걸 주자!

“있잖아. 오빠. 게임이라고 해서 너무—.”

“자.”

“—응?”

눈앞에 봉투를 내밀자 미즈키가 놀라서 말을 멈췄다.

“이거 뭐야?”

“에클레어. 좋아하지?”

“……좋아하지만.”

돌아오는 길에 사왔다.

그것도 분발해서 편의점이 아니라 과자 가게에서 사왔다.

“매일 열심히 공부하는 것도 큰일이잖아. 나도 작년에는 죽는 줄 알았다니까."

멍한 표정의 미즈키에게 봉투를 건네주고 조금 오빠답게 말해줬다.

"한참 남은 시험을 대비하며 긴장한 상태로 지내는 것도 큰일이고 말이지. 제대로 긴장을 푸는 시간을 만들고 있는 것 같아서 안심했어. 공부할 때 말고는 수험에 대한 건 잊는 편이 좋아."

"으, 응……."

멍하니 봉투를 안고 있던 미즈키에게 조금 웃어준 뒤 툭툭 어깨를 두드렸다.

"공부는 같이 해줄 수 없지만 숨 돌릴 때 정도는 어울려 줄 테니까, 놀고 싶어지면 말하는 거다?"

"그런 건 오빠한테 부탁 안 해."

그렇게 말하면서도 아까부터 줄곧 불만스러워 보였던 미즈키가 겨우 표정을 풀고 미소를 지었다.

좋아좋아. 이 오빠는 여동생이 즐거워하는 편이 기쁘단다.

"그럼 간다."

"응."

방으로 돌아가기 위해 거실을 나설 때 작은 목소리가 들렸다.

"고마워. 오빠."

—봐봐. 우리 여동생, 착한 아이지?

아코와 투닥투닥 싸우는 여동생 캐릭터하고는 전혀 다르다니까.

자, 그럼. 저녁 먹을 때까지 온라인 게임이나 할까.

††† ††† †††

◆아코 : 루시안루시안, 화면에 편지 아이콘이 빛나고 있는데요.

그날 밤, 아코가 그런 말을 꺼냈다.

편지 아이콘이라니, 메일이 왔다는 건가?

◆루시안 : IM이 온 거 아냐? 캐릭터 이름만으로 보낼 수 있는 게임 속 메일.

게임 속 메일, 인스턴트 메시지 기능.

로그인하지 않은 상대에게도 연락할 수 있는 편리한 기능이다.

메일이 오면 화면 위에 편지 아이콘이 빛나는데, 아코의 화면에 그것이 표시된 모양이었다.

◆루시안 : 누구한테서 온 건데?

◆아코 : 우우, 슈슈, 라고 적혀 있어요…….

◆루시안 : 우와아…….

메일까지 보내는 건가, 그 여동생 캐릭터, 착각계.

이 이상 아코에게 대미지를 주려고 한다면 나도 화낼 거야.

◆루시안 : 내용은 어때?

조심조심 물었다.

◆아코 : 그게, 오늘은 말이 지나쳤습니다. 죄송합니다. 앞으로도 오빠를 잘 부탁합니다— 라네요.

◆루시안 : ……왜 갑자기 태도가 바뀐 거지?

◆아코 : 그, 글쎄요……?

모르겠어.

전부 모르겠어.

◆아코 : 좋은 사람인 걸까요……?

◆루시안 : 글쎄다…….

다음에 보면 잠깐 파티라도 권유해볼까, 라고 생각하면서.

그날의 밤도 깊어졌다.

2장 LEFT 4 여동생

And you thought there is Never a girl online?

◆루시안 : 여기서 나가면 어그로 끌어서 잡고 있을 테니까 멈출 때까지 그대로 따라와.

간단히 말하고 그대로 내달렸다.

오늘은 보통 필드 던전이 아니라 인던― 인스턴스 던전에 왔다.

파티 단위로 전용 던전을 생성해서 도전하는 인던은 필드 던전과 달리 적이 부활하지 않는다. 최심부로 가는 것이 목적이므로 동료를 데리고 오는 편이 빠르다.

좁은 던전에 점점이 뭉쳐 있는 적 그룹 중에서 가장 위협도가 높은 몬스터의 어그로를 끌었다.

잡고 있을 수 있는 아슬아슬한 지점까지 적을 끌고 와서 벽을 등지고 방패를 들었다.

◆루시안 : 공격 부탁 ←탱커 이 부근

매크로 대사를 치고 적의 공격을 버텼다.

즉시 발동하는 방어 스킬과 딜레이가 있는 회피 스킬, 단 발밖에 튕겨낼 수 없는 카운터 스킬을 가능한 한 대미지를 적게 받도록 발동하면서 리플렉트 대미지도 유지하며 어그로 관리.

이렇게 일심불란하게 적을 관리할 때가 가장 즐거운 기분이 든단 말이지.

나도 능숙해졌네. 헤헤헤, 하고 조금 웃기도 하고.

◆아코 : 루시안, 조금 더 적을 적게 모으죠.

◆루시안 : 그런가? 괜찮지 않아?

위험할 때도 있었지만 문제없이 돌파했다.

아코도 조금 능숙해진 것이 기뻤다.

◆아코 : 그치만 이렇게 서둘러서 싸우면 채팅할 여유가 없다고요.

◆루시안 : 거기냐…….

◆아코 : 루시안과 채팅을 할 수 없는 던전이라니 뭘 위해서 온 건가요! 몬스터라는 건 대화를 즐겁게 만들기 위해, 방해가 되지 않을 정도의 소소한 빈도로 덮쳐오면 된다고요!

한 마리라도 나오면 방해라고 말하는 주제에 무슨 소리를…….

◆아코 : 기브 미 평화로운 던전! 노 모어 위험한 던전!

◆루시안 : 위험하지 않은 던전에 볼일은 없다고.

◆슈슈 : 아코 씨. 그렇게 노력하는 걸로는 안 보이는데?

오늘은 슈슈도 함께다.

그 이후로 때때로 만날 때 같이 게임을 즐기는 정도는 되었다.

가끔이지만. 정말로 가끔.

오늘은 나, 아코, 슈슈의 3인팟. 몽크가 딜러인 건 신선했지만 이건 이것대로 꽤 사냥이 잘 됐다. 몽크는 광역 공격이 있으니까. 주먹으로 때리는 건데도.

◆루시안 : 이제 곧 보스니까 힘내서 가보자.

◆아코 : 네~에.

◆슈슈 : 네~에.

이럴 때 보면 사이좋아 보이는데 말이지. 저 두 사람.

◆루시안 : 보스 패턴은 알고 있지? 전방 광역, 적 주변에 광역, 표시 없는 전방 부채꼴 광역의 루프야. 타이밍을 봐서 회피랑 힐 부탁해.

◆아코 : 알겠습니다!

그렇게 설명한 뒤에 시작했는데…….

◆루시안 : 아코, 위치가 가까워 위치가! 거기 있으면 광역 맞는다고!

◆아코 : 저도 곁에서 루시안을 지킬래요!

◆루시안 : 안 돼! 이 녀석은 그런 말 할 수 있는 보스가 아니라고! 아아아앗!

세 번 전멸했다.

◆루시안 : 아코는 제대로 반성하도록.

◆아코 : 네에에.

롤플레잉에서 아군을 위험하게 만들면 안 됩니다.

이건 필수다.

◆루시안 : 벌써 시간이 이렇게 됐나…… 빠르네.

보스에 시간을 들여서 그런지 벌써 날짜가 바뀌었다.

타이밍 좋게 마을 맵이 밤이 된 시간이라 일루미네이션이 이곳저곳에서 빛나고 있었다.

◆아코 : 내일은 휴일이니까 조금 더 할 수 있어요.

주말은 좋지. 늦게까지 온라인 게임을 할 수 있으니까.

게임 속 사람이 많으니까 뭐든 하기 쉽고.

◆슈슈 : 좋겠다…… 나는 수험 때문에…….

◆루시안 : 스트레스 쌓이지 않는 정도로 힘내라.

◆슈슈 : 고마워. 오빠.

그런 대화를 나누는 사이, 뒤쪽에서 마스터나 다른 사람들은 뭘 하고 있느냐면.

◆애플리코트 : 후하하하하하, 여덟 마리가 끄는 내 썰매에게 이길 수 있으리라 생각했나!

◆슈바인 : 이런 하찮은 미니게임을 위해서 대놓고 과금질을 하지 말라고 이 멍청아!

◆세테 : 시베리안 허스키 귀~여~워~라~.

크리스마스 이벤트인 개썰매 레이스를 즐기고 있었다.

개가 끄는 썰매를 타고 속도를 경쟁하는 수수께끼의 이벤트.

이기든 지든 딱히 아무 일도 없습니다.

◆루시안 : 온라인 게임은 꽤 수수께끼 이벤트가 많다니

까…….

◆슈슈 : 그러고 보니 오빠, 벌써 다음 이벤트가 발표됐어.

◆루시안 : 어, 진짜로?

공식 페이지를 보자 확실히 갱신이 되어 있었다.

이제 크리스마스까지 닷새 정도 남았다.

크리스마스 이벤트 제2회. 그 내용은—.

◆슈슈 : 대(大)선물교환회라는데.

선물교환이라.

자세한 내용은, 어디 보자…… 이름을 지정해서 아이템을 등록하면 그 상대와 선물을 교환할 수 있다. 또한 추가로 덤 선물도 받을 수 있다, 라고 한다.

◆아코 : 덤도 받을 수 있다는 건, 아무튼 많은 사람과 교환하는 게 이득이라는 건가요?

◆루시안 : 덤으로 주는 아이템이 목적이라면 그렇게 되겠지.

◆슈슈 : 아, 채팅이 나오고 있어.

정말이네. 채팅과 파티 모집이 점점 이걸로 메워지고 있었다.

『선물교환 상대 모집』

『같은 가치의 아이템 희망』

『같은 아이템으로 교환하지 않을래요? 연락 부탁』

◆아코 : 온라인 게임은 참 각박하네요.

◆루시안 : 채팅이 성황인 건 좋은 일이지만.

이것만으로 메워지는 것도 좀…….

◆아코 : 루시안은 저한테 선물 주실 건가요?

그런 건 말할 것도 없잖아.

내가 아코에게 선물을 주지 않을 거라고 생각한 거야?

◆루시안 : 물론이지.

◆아코 : 그럼 교환등록 해놓을게요!

크리스마스 선물 같은 걸 생각하는 건 처음이네.

아코에게 줄 크리스마스 선물은 뭐가 좋을까…….

◆루시안 : 그러고 보니 요즘 클레릭도 들 수 있는 헤비 실드가 나왔던가.

◆아코 : 너무 실용적인 건 좀 그렇잖아요! 사랑을, 사랑을 담아주세요!

◆루시안 : 농담이야. 뭐가 좋을까? 음—.

◆아코 : 뭐든지 소원을 들어주는 티켓 같은 걸 받고 싶어요.

◆루시안 : 초등학생 선물이 아니거든.

◆아코 : 괜찮아요. 초등학생은 하지 못하는 걸 부탁할래요.

◆루시안 : 말해두지만 요즘 초등학생은 우리보다 더 앞서간다고.

◆아코 : 듣고 싶지 않아요!

농담은 넘어가고.

실용품은 너무 싱거우니까 그런 게 아닌 편이 좋다.

하지만 조금 기쁘면서도, 때때로 쓸 용도가 있는 그런 걸 건네주고 싶었다.

◆아코 : 저도 루시안에게 선물을.

◆아코 : ……앗.

응?

수수께끼의 채팅과 함께 아코가 쇼킹한 표정을 띄웠다.

그대로 감정표현 동작으로 풀썩 바닥에 엎어졌다.

◆루시안 : 왜 그래?

◆아코 : 아, 아뇨, 저기, 별것 아니에ㅛㅇ!

굉장히 별것 아닌 것 같지 않은데!

틀림없이 뭔가 있잖아!

◆아코 : 오늘은 끌게요! 수고하셨습니다!

뿌잉 하는 이펙트를 내며 아코가 로그아웃했다.

주말이니까 아직 할 수 있어요! 라고 했던 주제에 바로 꺼버렸네. 저 녀석.

◆루시안 : 갑자기 말이 헛나가면서 꺼버렸네…… 왜 저러지. 아코.

◆슈슈 : 왜 저러는 걸까?

모르겠는데.

하지만 아코에게 줄 선물…… 아, 맞다.

유저가 만든 에이프런 드레스로 하자. 전에 갖고 싶어 했지만 돈이 없다고 했었으니까. 집 안에서 느긋하게 채팅을 하고 있을 때 에이프런을 입고 있어주면 기쁘고.

NPC에세 신물 이이템을 구입해서 아코의 이름을 등록.

◆루시안 : 메시지도 붙일 수 있는 건가…….

메리 크리스마스라는 건 너무 평범한데.

◆슈슈 : 사랑의 말을 적으면 어때? 그런 걸 기뻐할 거야.

사랑을 담아서, 같은…… 우와앗! 닭살닭살!

하지만 아무 말도 쓰지 않는 것도 분위기가 살지 않고…… 큭.

메리 크리스마스, 내년에도 함께 보내자, 라고 쓰자—.

◆루시안 : 내가 쓴 거지만 얼굴이 빨개지네.

◆슈슈 : 오빠, 나한테는 사랑의 말을 담은 선물 안 줄 거야?

◆루시안 : 비슷한 액수의 선물로 부탁드립니다.

◆슈슈 : 정말~!

좋아. 이걸로 아코에게 줄 선물은 OK다.

아무리 부부라고 해도 선물을 줄 기회는 좀처럼 없으니까 역시 긴장되네.

게임 속에서도 이런데 현실에서 아코에게 선물 같은 걸 건네준다면 얼마나 긴장할지— 앗.

◆루시안 : 앗.

"아아아아아아아아아아앗!"

잊고 있었다! 그보다 생각도 못 했어!

현실의 아코에게도 선물이 필요하잖아!

연인인지 부부인지는 모르겠지만 뭐든 간에 아코에게 선물을 주고 싶어!

◆슈슈 : 나한테도 목소리가 들렸는데…… 왜 그래? 오빠.

마음속 목소리가 들린 건가.

그렇겠지? 내 캐릭터도 무심코 쇼크 받은 감정을 내면서 그 자리에서 무너졌으니까.

◆루시안 : 아니, 별것 아니니까 신경 쓸 필요 없어 괜자냐.

◆슈슈 :그거 괜찮지 않은 것 같은데……?

실제로 괜찮지 않거든.

그, 그래 맞아. 잠깐 상담해볼까.

슈슈라면 좋은 생각을 해줄 거다.

◆루시안 : 그게 말이죠. 여친에게 선물을 줄까 싶어서.

◆슈슈 : 벌써 등록한 거 아니야?

◆루시안 : 아니, 현실 여친한테.

◆슈슈 : 에에에엑?! 오빠 여친 있었어?!

그렇게 놀랄 일인가? 내가 그렇게 여친이 없어 보이나?

아아, 응. 없어 보이네. 알았다고. 죽고 싶다.

◆슈슈 : 사귀고 있어……?

◆루시안 : 넓은 의미에서는 사귀고 있으, 려나.

부부든 연인이든 사귀고 있다는 건 틀림없으니까!

◆슈슈 : 거, 거짓말…… 정말이야?

◆루시안 : 거짓말 같지? 이런 타이밍까지 선물은 생각도 못 했어…….

이제 크리스마스까지 시간이 거의 없는데 선물에 대해서는 머릿속에 전혀 없었다.

이래서야 현실에 대해서는 전혀 생각하지 않는다고 아코를 꾸짖을 수가 없겠는걸.

◆루시안 : 여자는 뭘 받아야 기뻐할까?

◆슈슈 : 어, 어어…… 옷? 액세서리? 음식? 아니면 소품이라든가?

아, 아코네 방에는 두툼한 봉제인형이 있으니까 소품 같은 게 좋을지도.

◆루시안 : 그치만 왠지 너무 뻔한 느낌도 든단 말이지…… 뭐가 좋을까…….

◆슈슈 : 으으으음

본인한테 물어볼까? 하지만 물었다간 분명 반지라고 할 것 같다.

아니면 뭐든 소원을 들어주는 티켓이라거나.

아코에게 건네주기에는 너무나도 무서운 아이템이다.

게다가 아코가 건네줄 경우, 받는 게 무섭다.

◆루시안 : 슈슈라면 뭘 갖고 싶은데?

◆슈슈 : 내가 오빠한테 받고 싶은 선물이라면…… 역시 몸에 달 수 있는 게 좋아.

몸에 달 수 있는 거라.

하지만 아코의 센스를 잘 모르겠단 말이지.

꽤 여러 옷을 입는 이미지는 있지만.

뭘 건네주더라도 기뻐하며 쓸 것 같으니까 더욱 신경이 쓰인다.

◆슈슈 : 그리고, 몸에 다는 거라면 언제나 달고 있을 필요는 없는 거, 려나.

그렇군. 가끔 쓸 수 있는 아이템이라면 부담 가질 필요도 없고 기쁘다는 건가.

조금 전에도 비슷한 걸 생각했었다.

그렇구나. 온라인 게임하고 다르지 않은 건가.

◆루시안 : 때때로 쓸 수 있는 것…… 그러면서도 써줬으면 하는 거…….

문득 떠오른 광경이 있었다.

나를 올려다보는 아코.

원래라면 보여야 하는 단정한 얼굴과 눈망울을, 긴 흑발이 가린다.

언젠가 그런 적이 있었다.

◆루시안 : 조금 떠오른 것 같아.

◆슈슈 : 좋은 게 있을 것 같아?

◆루시안 : 건네주고 싶다고 생각한 건 생겼어. 고마워.

쇠뿔도 단김에 빼랬다고, 내일이라도 사러 가자. 휴일이니까.

하지만 아코에게 줄 선물을 사려면 여자아이용 가게로 가야 하는데, 가게 안에는 여자밖에 없을 것 같고, 점원도 여자일 거고, 내가 들어가면 죽을 것 같은데.

그런 가게에 혼자 가는 긴 무섭다.

누굴 데리고 가야하나. 부탁하면 와줄 것 같은 사람은…… 세가와는 빌면 와줄 것 같지만 그렇게까지는 하고 싶지 않고, 마스터는 엄청 기합을 넣고 올 것 같아서 가볍게 부탁할 수 없고.

데리고 간다면 역시 아코인가.

◆루시안 : 내일이라도 같이 가자고 할 수밖에 없나…….

◆슈슈 : 여친하고? 어디 갈 건데?

◆루시안 : 요즘 생긴 뭐시기 쇼핑몰― 아니, 아울렛이었던가. 아침 뉴스에서 봤던 거기로 가볼까 하는데.

그런 곳은 데이트 하러 가기에도 딱 좋은 곳……이지? 맞지?

그렇다는 건 내가 아코와 같이 가기에도 좋은 곳이겠지?

데이트 스팟 같은 건 전혀 모르겠지만.

왜 선택지가 없는데다 맵이랑 마커도 없는데? 현실은 너무 불친절한 거 아냐?

◆슈슈 : 흐응…… 그렇구나.

내 채팅을 본 슈슈는 딱히 리액션을 보이지 않은 채 끄덕였다.

◆루시안 : 뭐, 아코에게 거절당하면 혼자서 가겠지만.

◆슈슈 : 혼자 갈 바에는 내가…….

뭔가 말하려던 슈슈는 문득 의문부호를 띄웠다.

◆슈슈 : 아코…… 씨? 어, 아코 씨랑, 현실에서도 친해?

◆루시안 : 친하고 뭐고, 선물을 건네주고 싶은 게 아코인데.

◆슈슈 : 아코 씨랑 사귀는 거야?! 거짓말, 게임 속 관계 아니야?

◆루시안 : 그게, 게임에서 결혼했더니 현실에서도 부부라고 말하면서 나를 따라다니던 녀석이라 말이지.

◆슈슈 : ……게임에서 결혼했으니까 현실에서도 부부?

◆루시안 : 그래그래.

◆슈슈 : 그, 그건 이상하지 않아?

◆루시안 : 그렇게 말해주니 기쁘네…….

정말이지, 이상하기 짝이 없긴 하지만.

나도 현실과 게임은 다르다고 생각하긴 하지만.

◆루시안 : 분명 이상한데도, 본인은 그렇게 주장하면서 절대고 굽히지 않더라니까. 계속 들어와서 익숙해졌고, 이미 바깥 해자는 전부 묻혔다는 기분도 들고…….

◆슈슈 : 그건 스토커야! 오빠, 스토커에게 휘둘리면 안 돼! 남을 잘 보살펴주는 것도 한도라는 게 있다고!

◆루시안 : 아니, 스토커라고 할 정도는…….

◆슈슈 : 돌이킬 수 없게 되면 이미 늦는단 말이야?! 정말, 오빠를 대신해서 내가 확실하게 말해주겠어!

뭔가 무서운 소리를 꺼냈잖아!

대신이라니 뭘?! 아코에게 뭘 말할 생각이야?!

◆루시안 : 아니아니, 필요 없어. 내버려둬도 된다고.

◆슈슈 : 내버려뒀으니까 이렇게 된 거잖아! 괜찮으니까 나

한테 맡겨줘!

슈슈는 그렇게 단언하고는 화면에서 사라졌다.

◆루시안 : 잠깐, 어이! 우와아, 없잖아!

벌써 꺼버렸어!

뭐야 맡겨달라니. 뭐할 생각인데!

제대로 된 녀석이려나~ 싶었는데 역시 착각하고 있고.

"온라인 게임 여동생이 뭔가를 할 수 있을 리가 없잖아……."

아코만이라도 신경 쓰지 말라고 전해두자.

함께 나가기 위해 문자를 보내려던— 어.

휴대전화를 확인하자 마스터에게서 문자가 와있었다.

『마스터에게서 모두에게. 현대통신전자 유희부 크리스마스 이벤트를 맞아 게임과 마찬가지로 선물교환회를 하겠다. 그에 걸맞는 물건을 준비해둘 것.』

으음. 여자아이에게 건네줄 물건을 두 종류 생각하는 거, 힘든데.

그 녀석들한테는 뭘 건네줘야 좋아할까…… 그런 생각을 하던 중 다시 문자가 왔다.

『슈바인 님에게서 추가지령. 금액은 3천 엔 한도로 할 것.』

『어째서냐?! 최근 발매한 헤드 마운트 디스플레이를 준비할 생각이었는데!』

『우리는 그런 비싼 물건은 준비 못해!』

『갖고 싶어요!』

『조르지 말란 말이야!』

……그냥 내버려두자.

3천 엔까지라면 내일이라도 같이 살까.

"미즈키. 컴퓨터 만지지 말고 공부하렴."

"알고 있어!"

거실에서 미즈키가 야단맞는 소리가 들렸다. 꽤 드물군.

가족의 대화 소리와 후다다닥 방으로 돌아가는 여동생의 발소리를 들으며 침대에 누웠다.

내일을 대비해서 빨리 자야지.

††† ††† †††

전철로 몇 정거장 가면 있는 쇼핑몰— 몰이라는 단어가 이미 빛나보여서 싫지만 그런 시설로 찾아왔습니다.

시기가 시기인 만큼 연인들로 보이는 남녀가 이곳저곳에 보였다.

온 세상의 행복이 여기에 모여 있는 게 아닌가 싶을 정도로 행복한 공간이다.

그렇다는 건 다른 지역에는 이만큼 불행이 모이는 건가. 나는 보통 그쪽 사이드인데.

"무, 무지막지하게 원정경기 느낌이 나네요!"

"우리도 녹아들면 될 텐데……."

연인인지 부부인지는 확실하지 않지만 아무튼 이 자리에 어울리는 존재일 거다. 그런데도 어째서 이렇게나 엉뚱한 곳에 왔다는 기분이 드는 걸까.

"미안. 갑자기 불러낸 데다 이런 곳까지 데려오다니."

"그런 소리 마세요!"

전날에 연락해서 약속을 잡는다는, 데이트 치고는 파격적인 권유였지만 아코는 기꺼이 승낙해주었다.

"오히려 시험이다 기말고사다 해서 부부끼리의 시간이 적었던 게 문제예요! 저를 내버려두면 바로 바싹바싹쿠뽀[#9]라고요!"

"스스로 물을 주라고!"

눈앞에서 바싹바싹 시든다면!

바싹바싹쿠뽀가 되기 전에 스스로 물을 주란 말이야!

"게다가 저도 쇼핑 나올 예정이었으니까 외출할 각오는 하고 있었어요."

"그래. 그거 다행이네."

외출하는 데 각오도 필요해? 라는 소리는 이제 와서 묻지 않는다.

"짐 드는 것 정도는 얼마든지 해줄게."

"들지 못할 정도로 많이 산 적은 없는데요."

"살 것만 사고 바로 돌아오는 타입이냐."

#9 바싹바싹쿠뽀 『파이널 판타지 11』에서 재배하던 식물이 시들 경우 NPC 모그리가 하는 대사

"맞아요 맞아요."

하긴, 아코는 윈도우 쇼핑 같은 건 싫어할 것 같으니까.

하지만 아코에게 줄 선물을 산다는 건, 몰래 사지 않으면 안 된다는 뜻이다.

둘이서 쇼핑을 왔는데 상대에게 들키지 않도록 해야 한다니, 무리 아니야?

"……일단 가볼까?"

"네~에."

말은 꺼냈지만 나도 아코도 걸음을 내딛지 않았다.

"…………."

"………………."

어디로 가지? 서로 시선으로 확인을 나눴다.

"내, 내가 오자고 한 거니까 아코가 가고 싶은 곳으로 먼저 가도 되는데?"

"아뇨아뇨. 루시안의 볼일이니까 그쪽을 먼저 가죠!"

"…………."

"………………."

—아코는 어디로 가고 싶은 건데.

—루시안은 어디로 가고 싶은 건가요?

말없이 약간의 동작으로 페인트를 섞으며 서로의 노림수를 찾았다.

뭐야 이 분위기. 어쩌다 이렇게 되었나. 어쩌다 이렇게 되었나!

"……일단, 잠깐 걸을까."

"그, 그럴까요."

우리는 아하하하하, 하고 얼버무리듯이 웃으며 나란히 걷기 시작했다.

1층에서 가장 많이 보이는 곳은 역시 여성용 가게였다.

겨울인데도 팔고 있는 건 봄이나 초여름 옷이었다.

"왜 한겨울인데 봄옷을 팔고 있는 거지."

"그러게요. 사봤자 못 입잖아요."

아코도 의아한 듯이 고개를 갸웃했다.

"내일 입을 옷이 없어서 사러 왔을 때는 굉장히 곤란해요. 입고 돌아갈 수 있는 옷을 메인으로 놔뒀으면 좋겠어요."

"레벨대에 맞지 않는 장비밖에 팔지 않는 느낌이란 말이지."

"지금 쓸 수 있는 장비를 놔두지 않으면 팔지 못할 거라 생각하는데 말이죠."

서로 응응 끄덕였다.

"아, 그치만."

그때 생각이 났습니다! 라는 듯이 아코가 내 팔을 당겼다.

"지금은 쓰지 못하는, 필요 레벨이 조금 위인 장비를 먼저 사고 이건 쓰기 위해 레벨업에 힘쓴다! 라고 생각한 적 없나요?"

"아, 그런 적 있지!"

"그렇죠! 그러니까 봄옷을 미리 사고, 이걸 입기 위해 겨울을 헤쳐나간다! 라는 느낌일지도 몰라요."

"현실에서도 모티베이션 유지는 중요하구나."

"그러게요."

……이야기가 끝나고 말았다.

"저기, 말이야."

아코에게서 시선을 돌리며 조용히 말했다.

"이럴 때 태클이 없으면, 조금 곤란하네."

"그, 그러네요."

서로 바보 같은 이야기를 한 채 끝나버린 이 당혹스러움에 나도 아코도 어떻게 해야 좋을지 갈피를 잡을 수 없었다.

하교 중에는 대체로 이런 느낌이지만. 환경이 다르다보니 익숙하지가 않네.

막 오픈한 쇼핑몰은 오픈 세일과 크리스마스 세일이 겹쳐서 굉장한 인파로 붐볐다.

이래서야 우리도 좀 진정이 안 된단 말이지.

진심으로 혼자 오지 않아서 다행이라고 생각한다.

"……우리는, 주변에서 어떤 식으로 보이고 있을까요?"

문득 아코가 작은 목소리로 그런 말을 건넸다.

"그야…… 평범한 남친여친, 아닐까?"

그렇다면 좋겠다는 소망을 담아서 말했다.

"부부로는 안 보이는 걸까요?"

조금 쓸쓸한 목소리.

아코는 고개를 숙이고 있었다.

“……보일지도.”

그래서인 건 아니지만, 나도 위안 같은 말을 건넸다.

“하지만 모두가 부부구나~ 라고 생각하려면 조금 더 시간이 지나야하는 거 아닐까?”

“아빠랑 엄마처럼요?”

“그렇게까지는 말하지 않겠지만.”

“화면이 어두워진 타이밍에 오른쪽 밑에 3년 후…… 라는 코멘트를 붙이면 3년 후가 되지 않을까요?”

“망한 코멘트잖아.”

굉장히 좋은 타이밍에 『끝』이라고 쓰지 말란 말이야. 웃어버리니까.

그런 이야기를 하면서 걷는 우리 옆에 있던 여성향 셀렉트샵에서 점원이 말을 걸었다.

“거기 남친분. 여친분께 이런 거 어떠신가요~?”

“앗!”

아코가 움찔거리며 점원 쪽을 바라봤다.

아, 큰일이다.

또 아코가 우리는 부부에요! 같은 소리를 해서 점원이 멍한 표정을 짓는 패턴이야!

크, 어쩔 수 없지. 대충 웃으며 얼버무리자— 라고 생각했는데.

"……아하하, 시, 실례합니다~."

웃으며 얼버무린 건 아코 쪽이었다.

어라? 뭐지 이 리액션은.

마치 막 사귀기 시작한 커플이 조금 쑥스러워하는 분위기였다.

평범했다. 지극히 평범했다. 일반적인 반응이었다.

설마, 이건 설마!

"호, 혹시 아코 너, 증세가 호전된 거냐!"

"아무런 병에도 걸리지 않았는데요?!"

그렇지 않아, 좋아졌어!

누구든 간에 거리낌 없이 부부다 부부다 선언하던 때보다는 훨씬 낫다고!

"우리의 오랜 노력이 드디어 결실을 맺은 건가……."

"왠지 오해로 기뻐하는 것 같은 기분이 들어요!"

아코는 그렇게 말하며 조금 전 점원을 돌아봤다.

그녀는 이미 다른 사람에게 말을 걸고 있었지만.

"…………."

"조금 전 사람, 신경 쓰여?"

"그렇지 않아요. 점원은 기본적으로 거북해요."

"그래?"

아코는 네, 라고 힘차게 끄덕였다.

"천천히 쇼핑을 하려고 가게에 들어가도 뭘 찾으시나요? 라며 생긋 웃으면서 다가오잖아요. 적어도 당신을 찾지는 않았다고요! 라고 생각하지 않나요?"

"그게 여러 이유가 있다고 하더라고. 할당량을 위한 접객만이 아니라, 소매치기를 내쫓는 의미도 있다는 것 같으니까."

"그, 그럴 수가…… 중학교 졸업문집, 소매치기를 할 것 같은 사람 랭킹에서 어째서인지 4위에 들어간 제 분위기가 경계심을 부추긴 건가요……."

"너네 중학교는 대체 뭘 앙케이트하고 있었던 거야."

졸업문집에는 좀 더 괜찮은 걸 쓰라고.

그보다 아코가 그곳에 랭크인한 건 그곳에 넣을 상대가 없었기 때문인 거 아냐?

"하지만 제가『염소계와 산소계 세제를 동시에 사는 걸 과연 점원 언니가 막아주는지 확인해보는 게임』을 했을 때 막아준 그 점원한테만큼은 감사하고 있어요."

"너 그 게임 두 번 다시 하지 마. 두 번 다시 하지 말라고."

뒤에 서 있는 사람까지 함께 새파래졌잖아.

"제대로 다른 걸로 샀으니까 괜찮은데요?"

"발상이 괜찮지 않다고!"

내 신부가 병들었어.

가끔은 좀 무섭다고.

"오히려 루시안이야말로 조금 전 사람이 신경 쓰이나요?"

"아니아니. 나는 딱히 흥미 없어."
"설마 야릇한 눈초리를 보냈다든가!"
느닷없이 발상이 비약했다?!
"제 루시안이라고요…… 엉큼해……."
"누구든 거리낌 없이 적대하는 건 그만둬!"
넌 대체 어디 사는 선공형 몬스터야!
글렀어. 역시 아직 병이 낫지 않았어!
"이제 됐으니까 가자…… 지쳤어……."
"막 왔는데요?"
반나절 사냥한 뒤만큼 지쳤습니다.
살 것만 사고 바로 돌아가고 싶다.
"……앗."
그때 아코의 시선이 가게 한 곳에 집중됐다.
반짝이며 시선을 끄는 작은 옷을 많이 파는 가게였다.
어머어머, 저도 흥미가 생기는 가게네요! 신경이 쓰이네요!
……미안. 장난쳤다.
왠지 뭐랄까, 조금 남자가 들어가기 힘든, 속옷 같은 물건을 파는 가게였다.
"저곳에 볼일이 있는데, 루시안도 같이 가볼래요?"
"가보자니, 가면 뭐할 건데."
"입어볼래요."
"미안, 바깥에서 기다릴게…… 아아, 아니다 나도 내 쇼핑을 하고 있을게.”

내가 말하자 아코는 명백하게 안심한 듯이 말했다.

“알겠습니다. 30분쯤 지나면 끝날 거라고 생각해요.”

“오케이. 그쯤 해서 돌아올게.”

그럼~, 이라고 손을 흔들며 가게로 들어가는 아코를 배웅했다.

응. 그렇군.

“……지금 저게 나에게 가끔 하는 거짓말인가.”

속옷을 살 테니까 일단 해산하자— 라니, 어딜 봐도 거짓말 같은 변명이었다.

내가 아코의 속옷 차림을 대체 몇 번 봤다고 생각하는 거야.

저 녀석이 저런 고급 가게에서 파는 속옷을 입는 건 한 번도 본 적이 없다고.

볼일이 있다는 건 절대로 거짓말이야! 틀림없어!

—내가 생각해도 최악의 논리군.

뭐야 이 쓰레기. 그보다 난 언제까지 속옷 판매점을 바라보는 거야.

만약 속옷을 사러 간 것이 사실이라고 한다면, 크리스마스를 대비해서 승부 속옷을 준비한다는 거겠지만…….

“그럴 리가 없어, 없다고. 생각하지 말자, 생각하지 말자…….”

시간 없으니 나도 내 볼일을 끝마쳐야지.

사이좋은 남녀와 여성 그룹으로 가득 찬 쇼핑몰을 둘러보며, 나는 던전에 들어가는 마음가짐으로 발을 내딛었다.

"기다리셨죠?"

기뻐하는 얼굴로 돌아온 아코를 나 역시 싱긋 웃으며 맞이했다.

"……오우."

"루시안의 눈이 죽어있어요!"

"괜찮아 괜찮아…… 나는 괜찮다고."

"도저히 그렇게는 안 보이는데요! 뭘 하고 있었던 건가요?!"

"잠깐 무한 닥돌을."

"무한 닥돌?!"

의문부호를 띄우는 아코에게 나는 다정하게 웃어주었다.

"그리고 아코, 하나 배운 게 있어."

"네, 네."

"점원은, 생각보다 따스하더라."

"뭘 했던 건가요?!"

잠깐 여성용 잡화점 같은 가게에 들어가서 주변에서 날아오는 시선 탓에 마음이 죽어 바깥으로 나오고, 부활한 뒤에 다시 들어가서 마음이 죽어 바깥으로 나오고, 그걸 반복했다고. 완전 무한 닥돌을 했다.

최종적으로는 여성 점원에게 「여자 친구한테 선물을 하고 싶은데요!」라고 상담했더니 이것저것 소개해주었다. 그 사람이 옆에 없었다면 나는 다 고르기 전에 죽었을 거다.

“나는 해냈어, 아코…….”

“잘은 모르겠지만 열심히 하셨네요. 루시안.”

아코가 억지로 까치발을 들어서 내 머리를 쓰다듬었다.

왠지 주변에서 흐뭇한 시선이 날아오는 느낌이 들었다.

오오, 조금 전까지의 「뭐야 이 녀석, 왜 이 가게에 들어오는데? 변태? 경비원 부를까?」라는 시선과는 천지차이야…….

“그런데 어쩔래? 조금 더 돌아볼래? 아니면 밥이라도 먹을까?”

“아…… 저기, 이르긴 하지만, 괜찮다면 이제 돌아가고 싶다고나 할까…….”

“돌아가고 싶은 거야?”

“잠깐 볼일이 있어서요.”

평소에는 좀 더 함께 있자고 조르는 아코가 이런 소리를 하다니, 꽤 드문데?

돌아가자는 말을 꺼내놓고서는 그냥 돌아가고 싶다는 의미가 아니라 집에서 함께 노닥거리고 싶다는 의미였던 적은 있지만.

“볼일이라면 어쩔 수 없지. 그럼 돌아갈까.”

“죄송해요.”

“원래 갑자기 부른 거니까, 사과할 일은 전혀 없어.”

단지, 조금 상태가 이상한 건 신경이 쓰였다.

그 점원에게 보인 리액션도, 일부러 거짓말을 해서 뭔가를 사러 간 것도, 볼일이 있다며 돌아가자고 하는 것도.

뭔가 숨기고 있는 느낌이 들었다.

딱히 그걸 폭로하자는 생각은 들지 않지만…… 조금 걱정은 된다.

아코의 지뢰 포인트는 잘 모르기 때문에, 또 어느 타이밍에 그걸 밟게 될지도 모르니까 말이지.

"그럼 돌아갈까?"

"네~에."

아코가 내 팔에 꼬옥 달라붙었다.

젠장. 여름에는 좀 더 부드러웠는데, 코트의 두께가 밉다.

달라붙은 아코 탓에 걷기는 힘들지만 그대로 쇼핑몰 바깥으로 향했다.

그때, 문득 묘한 시선을 느꼈다.

"……응?"

돌아봤지만 당연히 아무도 없었다.

지금 이건, 뭐지?

"루시안?"

"아니, 조금 이상한 시선을 느껴서."

그렇게 말한 뒤 나는 바로 고개를 내저었다.

"말은 그렇게 했는데 조금 쑥스럽네. 시선을 느꼈다는 사실을 입에 담는 게 이렇게나 부끄러울 줄이야."

"그야 시선을 느꼈다는 말은 좀처럼 할 기회가 없으니까요."

"그러게 말이야."

애초에 느낄 수 있는 것도 아닌데 말이지.

시선을 느꼈다니, 중2병이냐. 진짜 쪽팔리네.

"아코는 아무것도 느끼지 않았지?"

"평소에 백안시당하는 건 익숙하니까요."

"젠장. 절대로 익숙해지면 안 되는 건데 나도 익숙해."

혼자 여성용 가게에 들어가는 도전을 할 정도로 익숙하다.

숙련도는 현실에서도 쌓이는 법이다.

하지만 레벨이 오를 기색은 없었다.

쇼핑몰에서 바깥으로 나오자 조금 강한 바람이 불었다.

"아, 루시안. 머플러요."

내 머플러가 풀어져서 그 끄트머리가 공중을 날았다.

"자, 여기요."

풀린 부분을 잡은 아코가 내 얼굴을 덮듯이 다시 감아주었다.

그리고 작은 목소리로, 생각한 것이 그대로 새어나왔다는 느낌으로 말했다.

"기대되네요. 크리스마스."

"……기대되네."

아코에게 줄 선물을 한손으로 흔들면서 천천히, 천천히

귀로를 밟았다.

그런 행복한 크리스마스를 기다리고 있던 나에게.

아니, 우리에게.

긴급사태를 알리는 문자가 온 것은 다음날 아침의 일이었다.

From 아코

도와주세요><

굉장히 단순한, 그렇기에 농담이 아닌 것 같은 구원요청이었다.

††† ††† †††

똑똑똑, 문을 조금 강하게 노크하는 소리가 들렸다.

나는 문에 등을 대고 작은 목소리로 물었다.

"암호. 빛의 여신의 이름으로 명하노니?"

"알티멧 리메듐!"#10

중간을 전부 생략해버렸다.

뭐, 괜찮겠지. 목소리로 눈치챘으니까.

"아코, 무사해?!"

문을 열자, 들어온 것은 세가와였다.

#10 알티멧 리메듐 게임 「일랜시아」의 주문. 직접 주문을 외치고 쳐야 마법을 익힐 수 있다.

다른 멤버는 집합해있다. 그녀가 마지막이었던 건 단순히 집까지의 거리 문제겠지.

몸단장도 대충 하고 서둘러 왔다는 것을 평소보다 기합이 덜 들어간 트윈테일로 확실히 알 수 있었다.

“죄송해요. 이런 시간에 일부러 오시게 해서요.”

불러낸 사람인 아코는 꾸벅꾸벅 고개를 숙이고 있었지만 세가와는 오히려 만족스러워 보였다.

“아무 말도 없이 집에 틀어박히는 것보단 훨씬 나아.”

거짓 없는 본심으로 보이는 말을 건넨 그녀를 마지막으로 전원이 모였다.

“……그래서, 무슨 일이냐?”

대표랄 것까지는 없지만 일단 마스터가 물어봤다.

두 번 수고할 건 없으니 설명은 전원이 모일 때까지 보류한다고 이야기가 되어 있었다.

“……그게, 말이죠.”

아코는 가방에서 뭔가 하얀 봉투를 꺼내서 책상에 올려놓았다.

하얀, 아무런 특징도 없는 편지용 봉투였다.

“이런 게 집 우편함에 들어 있었어요.”

“……편지?”

“그렇게 보이는군.”

뒤를 보자 하트모양 스티커로 봉인되어 있었다.

보내는 사람에는 아코 님에게, 라고 적혀 있었고, 우체국 소인(消印)은 없었다.

직접 우편함에 넣은 거겠지. 그 시점에서 조금 무서웠다.

"……설마, 러브레터는 아니겠지?"

"이 흐름에서 남자에게 고백 받아서 곤란하다고 말하면 밀어버릴 거야."

세가와가 약간 뾰족한 모습으로 말하자 아코가 허둥지둥 고개를 내저었다.

"아뇨. 내용을 봐주세요."

자른 모양이 조금 세심하게 보이는 건 면도칼 메일을 경계해서 그런 건가.

아코의 과거가 상상돼서 조금 무서웠다.

"으음, 어디 보자."

안에는 한 장의 편지지가 접혀서 들어 있었다.

책상에 펼친 종이를 전원이 읽었다.

『오빠에게 들러붙은 날벌레 아코 씨에게

성야를 목전에 둔 이날, 당신의 진정한 모습을 알게 된 것은 불행 중 다행이었습니다.

이런 착각녀가 오빠를 따라다니던 걸 놓치다니, 크나큰 실패입니다.

착각과 망상으로 오빠에게 사랑을 속삭인다고 해서 행복해질 수 있으리라 진심으로 생각하는 겁니까?

저와 오빠는 태어났을 때부터 함께였던, 운명으로 맺어진 사이입니다.

당신 같은 외부인이 들어올 여지 같은 건 없습니다. 1미크론도 없습니다.

오빠는 제가 지키겠습니다. 제가 있는 한 오빠에게는 손가락 하나— (생략)』

"……나랑 아코는 언제나 친구야……."

"이제 정말 무리……."

"스위트……."

"정신 차려주세요!"

전원이 고작 몇 줄 읽은 것만으로도 반죽음 상태가 되었다.

도저히 마지막까지 읽을 수가 없어. 뭐야 이 수라장 메시지는.

"여동생이라니…… 설마, 이거 슈슈냐……."

"그런 게 아닐까 하는데요……."

착각계 장난 아니잖아.

게임이 현실까지 침식해왔어. 호러냐.

"조금 읽은 것만으로도 가슴이 아파오네…… 얘 진심 아니야……?"

오빠에게 들러붙은 날벌레 아코 씨에게
성야를 목전에

“여동생은 이런 게 아니잖아…… 착각하는 건 이 녀석이야…….”

“……이게 우편함에 들어있었다는 건.”

마스터가 심각한 표정으로 말했다.

“요컨대 루시안의 스토커라는 건가?”

“엑?”

편지를 보고.

모두의 얼굴을 보고.

다시 편지를 보고.

“내 스토커?!”

진짜로?! 슈슈가 나를 스토킹하고 있는 거야?! 현실에서?!

“맞아요. 편지에 담긴 인첸트가 너무 강해서, 루시안이 걱정돼서…….”

“이해해. 이런 게 왔다면 나도 당황할 거야.”

“나는 지금 당황하는 중인데.”

그 말을 듣고 아코의 표정을 잘 살펴보자 수면부족인 건지 눈에 다크서클이 생겼다.

물론 기운도 없다. 당연하지. 이런 영문 모를 편지가 왔으니까.

“그러고 보니 어제, 누군가가 지켜보는 것 같은 느낌이 들었었지.”

"네. 루시안이 그렇게 말한 게 신경 쓰여서……."

스토커라…… 설마 어제 데이트도 스토킹 당했다는 건 아니겠지?

설마 그런 모습도 보고 있었던 건가? 이런 모습도 보고 있었던 건가?

부끄러움 많은 인생인데, 이제 상상하기도 싫은 생각만이 부풀어갔다.

"아코를 스토킹하는 거라면 몰라도, 니시무라를 스토킹할 줄은 몰랐네."

"제 남편이 스토킹을 당할 정도로 인기가 많다는 건 조금 우월감이 드네요!"

"기뻐하지 말라고!"

그럴 상황이냐! 위기감을 느끼라고 위기감을!

"문제는 이 편지잖아. 무슨 말을 하고 싶은 걸까? 착각이 너무 심하잖아."

"정말이에요!"

아코가 드물게도 울컥 화를 내고 있었다.

"태어날 때부터 함께였다는 둥, 여동생이라는 둥 망상만 나불나불 늘어놓고."

"으, 응."

"멋대로 세운 여동생 설정을 타인한테 전가해서 이런 민폐만 끼치고."

"오우……."

"착각으로 저희를 곤란하게 만들지 말아달라고요!"

꽂힌다. 아코가 던진 부메랑이 빙글빙글 돌아서 본인에게 대량으로 꽂히고 있어!

"……오늘의 「네가 할 말이냐」 게시판은 여기야?"

"말하지 마. 아무 말 하지 마."

작은 목소리로 타일렀다.

아코가 눈치채면 쓸데없이 귀찮아지니까 살며시 내버려두자고.

"……왠지 말을 할 때마다 괴로워지는데…… 왜 이러는 걸까요?"

"신경 쓰지 않는 편이 좋아. 응."

아코는 의아한 듯이, 하지만 복잡한 표정으로 편지를 보고 있었다.

"내용은 내버려두더라도, 아코를 표적으로 삼은 게 곤란하네."

적어도 직접 나한테 오란 말이지. 아코한테 돌리지 말라고.

아코랑 헤어지면 슈슈한테 다정하게 대해줄 거라 생각하는 거냐고. 나 참.

"온라인발(發) 리얼 스토커…… 무섭네."

"하지만 어째서 저라는 걸 알게 된 걸까요?"

아코가 의아한 듯이 고개를 갸웃했다.

확실히 아코를 특정할 수단은 없지.

이름이 같다고는 해도, 일본에서 아코라는 이름을 가진 아이는 엄청 많을 테니까.

"굳이 따지자면— 아, 혹시 학교로 알아낸 건가?"

"……그렇겠군. 이 학교에 다닌다는 건 예전 성에서 걸었던 깃발로 알게 되었을지도 모른다."

마스터가 매우 후회된다는 듯이 말했다.

"하지만 그것만으로 특정할 수 있어? 이 학교에 학생이 대체 몇 명이나 되는 줄 알고?"

"무리는 아니다. 나도 신경 쓰지는 않았다만, 조금 확인해 보니……."

마스터가 컴퓨터 모니터를 빙글 돌려서 어떤 홈페이지를 보여줬다.

"마에가사키 고등학교, 행사기록— 문화제."

"여기 아래쪽이다. 현대통신전자 유희부의 사진이 있지."

"이거…… 나랑 아코네."

쉬러 왔을 때 찍힌 사진이겠지.

조금 기뻐 보이는 한심한 표정인 나와 그 옆에 있는 아코의 뒷모습.

"이걸로 니시무라를 찾았다는 거구나."

"뒷모습이지만…… 이 머리라면 아코라는 걸 알 수 있을지도 모르겠네."

"솔직히 충분한 단서다. 실수였다. 내가 어설펐다. 미안하다, 아코 군."

마스터가 고개를 숙였다.

"그렇지 않아. 딱 하루만 걸었던 학교 마크에서 거기까지 걱정하는 건 무리잖아."

"섣불리 실명을 밝히는 것보다 학교 이름을 꺼내는 편이 특정하기 쉽다. 아니냐?"

"그건……."

인터넷의 무서움은 어느 정도 알고 있다고 생각한다.

그렇기에 그럴 일은 없다. 괜찮다, 라고 장담할 수는 없었다.

"온라인 게임 플레이어인데 인터넷을 얕보다니, 실패였군."

"곤란해졌네……."

"슈슈 씨, 이런 고등학교 페이지에서 루시안을 찾을 정도로 오빠를 좋아했던 거네요. 저도 몰랐어요."

"그런 이상한 친밀감을 가질 때냐."

사진 복사하지 말라고.

그 슈슈의 표적이 된 건 너란 말이야.

"좋아. 경찰한테 가자. 편지의 지문 같은 걸 대조해보면……."

"그러자. 아무튼 범인을 붙잡아야지."

세가와와 서로 고개를 끄덕였지만—.

"그리 서두르지 마라. 바로 결론을 내리는 것도 문제다."

마스터는 매우 냉정한 목소리로 말했다.

"이미 자택이 밝혀졌다. 선불리 자극하면 위험도가 한층 더 높아질 거다."

"그건 그렇지만…… 그러니까 경찰을 불러야 하잖아?"

"남자가 여자에게 스토킹을 당하고, 여자가 습격당할 것 같다— 이런 정보로 경찰이 움직일 것 같나?"

"윽, 확실히."

스토킹을 당하고 있어요~ 어떻게든 해주세요~, 라고 경찰에게 가본들 내가 오히려 설교를 들을 것 같았다.

"게다가 똑같이 루시안을 사랑하는 사람인데 경찰한테 보내다니 불쌍해요."

그런 부분만 동정하는 태도를 취하지 마, 아코.

"하지만 그럼 어쩔 건데? 증거를 찾아서 붙잡아?"

"증거— 를 찾는다면 실제로 피해를 입는 게 필요할 텐데. 너희 둘 중 누군가가 실제로 피해를 입는 걸 기다릴 거냐?"

"그건 말도 안 되지!"

"그럼 어쩔 건데?"

세가와가 주먹을 쥐고 다른 쪽 손바닥을 퍽퍽 쳤다.

마스터는 모두에게 들려주듯이 천천히 입을 움직였다.

"우선순위를 착각해서는 안 된다는 뜻이다."

그리고 나만이 아니라 전원에게 시선을 돌리며 말을 이었다.

"나를 포함해서 인터넷 환경에 너무나 익숙한 사람은 명

확한 해결과 알기 쉬운 적을 원하는 경향이 있지. 범인을 붙잡고, 받아야 할 제재를 가하고 정의는 이루어졌다. 자, 이걸로 해결이다, 라고 말이지."

하지만, 이라며 움켜쥐었던 주먹을 가슴에 댄다.

"그 결과를 얻기 위해 우리의 동료가 범죄피해를 당하는 것이 정답이냐? 무서운 경험을 하고, 트라우마를 겪고, 범인의 보복을 두려워하는 아코 군이 우리의 이상인가? —아니, 절대로 그렇지는 않을 거다. 그렇지?"

"당연하지."

마스터는 음, 하고 끄덕였다.

"그렇다면 가장 고려해야할 것은 아코 군의 안전이다. 피해를 입지 않도록 지키고, 범인의 눈이 닿지 않도록 숨기고, 더 이상 아무 일도 일어나지 않도록 전력을 다할 것. 그것이 우리가 해야 할 일이다. 결과적으로 이 편지를 보낸 여자가 누구에게도 심판을 받지 않고 끝난다 해도 말이지."

아무 일도 일어나지 않는 게 이상……이라.

"그렇구나. 도망치는 게 승리인 계열의 퀘스트인가."

"섬멸 클리어는 하지 않는다는 거네."

세가와는 흠흠 하고 수긍한 뒤에 쥐고 있던 주먹을 내리고 고개를 갸웃했다.

"그럼 구체적으로 어쩔 건데?"

"글쎄다. 가장 간단한 방법은—."

마스터는 아코에게 시선을 보내며 입을 열었다.

"두 사람이 LA를 은퇴하는 거다."

"……엑?"

갑자기 나온 충격발언.

아코가 멍하니 굳어진 가운데 마스터는 말을 이었다.

"모레는 종업식이다. 이후에는 종업식까지 집에 있을 수 있지. 한동안 LA에 로그인하지 않고, 바깥으로 나가지 않고, 편지가 오더라도 반응하지 않는 것을 관철하는 거다. 시간이 지나면 그 여자도 질리겠지. 그 다음에 처음 만남이 있었던 LA 안에서의 접속을 끊어버리는 게 유효하다."

확실히 그렇다.

게임에도 들어가지 않고, 집에서도 나오지 않는다. 연락을 취할 방법은 없다.

새 학기에는 이미 스토커가 없어져 있을 경우도 충분히 있을 법하다고 생각한다.

"그것도 괜찮긴 하네……."

수단으로서는 타당하다.

나도 아코도, 모두 도망칠 수 있다.

"……아코 군. 신변 안전을 위해서는 일시적으로 숨을 죽이는 것도 생각해야 할 거다."

"시, 싫어요!"

그러나 아코의 대답은 거절이었다.

그것도 그저 싫어하기만 하는 것이 아니었다.

이상한 편지가 와서 불안한 듯이 말하던 때와도 달랐다.

진심으로 죽음을 두려워하는 듯한, 전력의 거절.

“저는 그곳에서 루시안이랑, 슈랑, 마스터를 만났어요. 그 세계가 있어서, 저는 살아있어서 다행이라고 생각하게 됐다고요. 로그인하지 않는, 못하는 상태가 되다니, 절대로 싫어요!”

“그치만 아코, 스토커를 만나는 것보다는 낫잖아?”

“그렇지 않아요!”

아코는 눈물까지 머금으면서 필사적으로 고개를 내저었다.

“그 세계에 진정한 제가 있다고요! 절대로 그만두지 않을 거예요!”

“……그렇게 싫어?”

“싫어요! 부탁이니까 게임을 그만두라는 말은 하지 말아주세요!”

“…………”

“…………”

순간적으로 둘이서 눈짓을 한 뒤에 응, 하고 끄덕였다.

“네가 그렇게 말한다면야 어쩔 수 없네.”

“뭐, 어떤 의미에서는 범인의 단서도 되니까.”

“우리가 게임으로 돌아간 결과, 현실의 위험도가 내려갈 가능성도 있지.”

“……괜찮나요?”

"괜찮고 자시고, 싫다며?"
"루시안……."
온라인 게임을 멀리하게 만들어서 아코가 망가지는 건 우리가 바라는 것이 아니다.
그렇게 생각할 정도로 아코는 필사적으로 보였다.
그 세계에 진정한 내가 있다— 진심으로 그렇게 생각하는 낌새였다.
"상대는 여자잖아. 그럼 그다지 위험한 일을 당할 일은 없을 것 같은데."
"여자아이라면 괴롭힘은 익숙하니까요."
"익숙해지지 마. 익숙해지더라도 잊어버려."
그런 슬픈 추억은 필요 없다고.
"그렇게 방심하는 것도 위험할 텐데. 남자를 데려올지도 모른다."
"온라인 게임에서 스토킹을 하는 여자가 그런 짓을 할 수나 있어?"
"누가 남자 좀 불러줘요!"
부르지 마, 부르지 말라고.
"먼저 할 수 있는 걸 해야겠네. 학교가 끝날 때까지 가는 길도 오는 길도 내가 같이 다녀줄게."
"안 돼요. 루시안이 고생하잖아요."
"싫어하더라도 배웅해줄 거니까 포기해. 뭐라 말하더라도 나는 아침부터 기다리고 있을 테니까."

게다가 만약 현실의 슈슈를 보게 된다면 직접 불평을 해 주고 싶었다.

나한테 할 말이 있다면 직접 나한테 발하라고 말이지.

"집 밖에 있을 때는 절대로 혼자 있게 두지 않을 테니까."

"밤에는 지나칠 정도로 문단속을 철저히 해. 집 안이라고 해도 안전한 건 아니니까."

"창문에 셔터는 있나? 없다면 바로 방범유리로 교환을 해 주마."

"다들……."

아코의 눈동자에 고인 눈물이 몇 줄기로 나뉘어서 떨어졌다.

"저, 저를 위해, 그, 그렇게까지……."

아코는 눈물을 흘리면서도 힘껏 미소를 지으며 우리를 둘러봤다.

그리고 입을 열었다.

"제 남편이 멋있는 탓에 이런 일이 일어나서 정말로 죄송해요!"

"그럼 교실로 돌아가자. 집에 갈 때 아코는 빼고 놀러가자고!"

"음. 크리스마스 이벤트 준비도 있지. 선물교환회는 현실에서도 할 거다. 준비해둬라."

"그러네. 셋이서 가자."

"죄송해요거짓말이에요도와주세요오오오오오오."

"그래그래. 오늘은 같이 쇼핑하고 같이 돌아가 줄게……."

정말로 이 녀석은…… 조금 쓴맛을 보는 편이 좋지 않을까…….

††† ††† †††

다음날, 나는 아침부터 전철을 타고 아코네 집으로 왔다.

약간 익숙한 인상조차 드는 길이지만 어딘가에 스토커가 있을지 모르므로 두리번거리면서 걷다보니 전혀 인상이 달라보였다.

아쉽게도 수상한 인물은 전혀 보지 못했다. 오히려 내가 수상했다.

아무 일 없이 도착했기에 타마키 가(家)의 차임벨을 눌렀다.

딩동~ 하는 가벼운 소리가 울렸다.

『누구세요?』

"니시무라입니다. 아코를 데리러 왔는데요."

부모님에게는 2학기 마지막 이틀을 땡땡이치지 않도록 아코에게 부탁을 받아 마중을 나왔다고 전해놨다.

두 분에게는 걱정 끼치고 싶지 않다는 본인의 의향이었다.

그다지 찬성은 못하겠지만, 일단 그 말대로 따랐다.

잠시 뒤에 열린 현관에서는 아코네 어머니가 싱글벙글 웃으며 기다리고 있었다.

"미안하구나. 그 아이는 아직도 자고 있어."

"…………그런가요."

이미 아침 먹을 시간조차 없어 보이는데, 그걸로 괜찮습니까. 어머니.

괜찮겠지. 어머니니까.

"기왕이니까 깨워주렴. 좋아할 거야."

"네에……."

실례합니다, 라고 말하며 신발을 벗을 때 거실 문이 철컹 열렸다.

정장을 입은 아저씨가 나와서 이쪽으로 다가오고 있었다.

아저씨. 그렇다. 본 적 없는 아저씨다.

아저……씨……?

"—앗."

"으응?"

나이스 미들로 보이는 아저씨는 어째서인지 나를 보며 진중한 태도를 풀었다.

진중해! 멋있어! 하지만 왠지 조금 눈매가 아코를 닮았어!

"네가 루시안이냐?"

히이이이익!

스토커 대책으로 왔는데 설마 아버지랑 인카운트할 줄이야!

크리스마스는 도망칠 수 있었다고 생각했는데!

"아뇨저기그게맞긴한데아니거든요."

"히데키야. 전에도 말했잖아."

아코네 어머니가 어머어머, 우후후후후 하고 웃으면서 말했다.

"아아, 그랬었지. 아코가 언제나 루시안, 루시안이라 부르니 말이지."

그 녀석, 아버지 앞에서까지 그런 소리를 하는 거냐?!

아버님는 핫핫핫 하고 명랑하게 웃으면서 내 옆에서 섰다.

"미안하군. 아쉽지만 지금부터 출근해야 하거든."

"네, 네."

절도 있게 신발을 신는 모습이 왠지 묘하게 그럴싸하게 보였다.

우리 아버지보다 훨씬 멋있는 것 같다.

"아아, 맞다. 히데키."

배웅하려던 내 어깨를 툭 두드린 아코네 아버지는 작은, 하지만 무거운 목소리로 속삭였다.

"언젠가 기회가 되면, 남자 둘이서 느긋하게 이야기를 좀 나눠볼까."

"히익?!"

내가 움찔 몸을 떨자 그분은 씨익 웃었다.

"아무리 그래도 그 나이에 결혼 같은 건 조금…… 그렇지? 이해하겠나?"

그 미소에는 왠지 모르는 위압감이 있었다, 고 생각한다.

하지만 나는 그런 건 아무래도 좋았다.

들은 순간 전력으로 아버님의 손을 붙잡았기 때문이다.

"그렇죠?!"

지금 그 한 마디를 들은 것만으로도 마치 석화가 풀린 것처럼 몸이 가벼워졌다.

그래, 바로 그거라고!

"다행이다. 그럼요! 이상하죠! 그게 평범한 생각이죠!"

해냈어, 이 사람 멀쩡해. 평범한 사람이야!

타마키 가에는 아군이 있었어!

"정말로 한마디 좀 해주세요. 좀 더 평범한 고등학생다운 교제를 하라고요!"

"아, 아아…… 그래야…… 하나?"

"아, 맞다. 아코하고는 제대로 건전한 교제를— 이라기보다는 너무 건전해서 교제하고 있는지도 잘 모를 정도로 사귀고 있으니까 안심하셔도 괜찮습니다!"

"……이거 참, 뭐랄까……."

내 말을 들은 아버님은 굉장히 그리운 것을 보는 듯한 표정을 지었다.

"너와는 꽤 오래 알고 지낼 것 같구나."

"예?"

"함께 술을 마실 날이 기대되는군."

그런 말을 남긴 채 커다란 가방을 들고 이번에야말로 떠났다.

……오래 알고 지낼 것 같다는, 확신을 담은 말을 듣고 말았다.

"대체 무슨 흐름으로 저렇게 된 거지……."

"아코가 매일 즐겁게 보내는 건 네 덕분이니까, 그이도 고마워하고 있는 거란다."

"그것도 그것대로 무거운데요."

슬슬 도망치고 싶었다.

하지만 적들밖에 없었던 타마키 가에서 아군이 생긴 건 매우 고마웠다.

쟤는 왜 저렇게 된 건가요, 라고 한번 차분하게 이야기를 들어보고 싶은 기분도 들었다.

저분이라면 크리스마스 초대를 받아들였더라도 의외로 즐거웠을지도.

아니, 그런 짓을 했다간 그때야말로 외통수인가.

"맞다, 히데키. 내일도 올 거라면 열쇠 받을래?"

"괜찮습니다."

"아쉬워라."

"일단 시간이 없으니까 대충 깨울게요."
"부탁할게~."
아코네 어머니는 나를 따라올 생각조차 없었다.
그렇겠지. 아코 방 열쇠, 나도 갖고 있으니까.
벌써 외통수 아닌가, 이거…….

똑똑 가볍게 노크를 하고 말을 걸었다.
"아코~, 데리러 왔다~."
"……루시안?"
"오냐."
멋대로 방에 들어가지 않는 건, 무슨 꼴로 자고 있을지 상상도 못하기 때문이다.
차라리 보고 싶은 마음도 있지만, 자다 일어난 모습을 보는 건 좀 치사한 느낌이 드니까.
"에헤헤, 루시안~."
"일어났으면 준비해."
내 갈등과는 반대로, 들려오는 아코의 목소리는 아무튼 느긋했다.
"앞으로 하루만 더 재워주세요."
"5분이나 10분이 아니라 그냥 쉴 생각이냐……."
스토커를 생각하면 쉬게 하는 편이 좋다는 생각도 들었다.
하지만 정말로 아쉽게도, 출석일수가 그다지 여유가 없었다. 정말로 없다.

게다가 종업식 직전에 섣불리 쉬면 의욕이 없다는 판단이 내려와서 3학기 성적까지 불리해진다. 아코의 미래를 위해, 여기서는 우리가 지켜줄 것을 다짐하며 학교에 보내야 한다.

“오늘하고 내일만 가면 끝이니까 힘내자.”

“루시안이 꼬옥 안아주면 힘낼게요~.”

……꼬옥 안아달라니.

그렇게 하면 되는 거냐. 그럼 해주지 뭐.

문고리를 비틀자 원래부터 열쇠가 잠겨있지 않았는지 그냥 열렸다.

안에는 역시 엉망이었다. 봉제인형은 떨어졌고, 책도 펼쳐진 그대로고, 왠지 털실뭉치까지 굴러다니고 있었다.

하지만 아코의 향기가 화악 감싸는 느낌이라 역시 두근두근했다.

여자아이의 방은 참 치사하네. 언제나 좋은 향기가 나니까.

여자아이의 방 향기라는 방향제 좀 만들어달라고.

“으응, 루시안~.”

아코는 침대 위에서 후냐~ 하고 뻗어 있었다.

얇은 파자마를 입은 채 침대 위에 누워있었다.

난방을 하고 있으니 괜찮긴 하지만, 자칫하면 감기 걸린다.

“야야, 일어나~.”

이상한 부분을 만지지 않도록 주의하며 몸을 흔들었다.

그런 내 손을 아코가 붙잡았다.

"음냐."

"우오옷, 우왁!"

끌려 들어갔다!

게다가 회전하면서 빙글 뒤집혀서 아코가 내 위에!

"쿠울, 쿠울……."

"아코 스톱! 스테이! 하우스! 이거 안 돼! 끼었다고!"

아코의 그게 내 얼굴에! 뭉클! 몽클하고!

건전한 교제라고 했었는데! 느닷없이 건전하지 않게 돼버렸어!

"아니, 일어나 이 바보야! 진짜로 지각한다고!"

지각이라고 말한 순간, 아코의 눈이 번쩍 뜨였다.

"지, 지각은 싫어요!"

"……결석보다 지각이 싫은 거냐."

하긴 지각해서 학교로 오면 이목이 집중되지.

"……어라? 루시안?"

"오냐, 나다."

잠에 취해서 비몽사몽한 상태로 행동했던 건가.

아코는 나를 보고 눈을 깜박이더니 헉 소리를 냈다.

"……설마 동거를 시작한 게 꿈이 아니었던 건가요!"

"미안하지만 그건 꿈이야."

"아우우……."

“풀죽지 마. 그보다 내 팔 그만 놔 줘. 이제 슬슬 참는 것도 한계인데.”

가슴이! 아아 가슴이! 가슴이 얼굴에! SAN 수치가 줄어들잖아!

“참는 건 몸에 안 좋아요!”

“내가 참는 걸 그만뒀다간 우리 둘 모두 인생 종친다고!”

누굴 위해 참는 거라 생각하는 거야! 떽!

“후아암…… 알았어요. 일어날게요…….”

내 얼굴에서 조금 몸을 떼어놓은 아코는 고개를 휘휘 내저으며 잠기운을 떨쳐냈다.

얇은 옷밖에 입지 않아서 눈앞에서 이런저런 것들이 출렁출렁 흔들리자 무심코 눈을 돌렸다.

그러던 아코가 문득 방을 둘러보고는 굳어졌다.

“……루시안, 봤나요?”

“아니, 안 봤어. 너무 가까워서 안 보였어.”

얼굴이 파묻혔거든!

“그게 아니라, 방 안 말이에요. 봤나요?”

“……뭔가 보면 곤란한 거라도 있었어?”

몇 번이나 왔고, 여기에 있는 이상한 건 대충 알고 있는데?

“적어도 자고 있는 아코밖에 눈에 안 들어왔으니까 방은 안 봤는데.”

“그, 그럼 됐어요!”

아코는 다시 나를 끌어안고는 그대로 끙끙 잡아당기며 일어섰다.

저기, 잠깐만, 아프고 부드럽고 목이 늘어나겠는데!

"잠깐, 에에에엑?!"

그대로 질질 밀려나더니.

"바로 준비할게요!"

휙 방에서 쫓겨나고 말았다.

내 대접 너무하지 않아?

아니, 나쁘지는 않지만. 굉장히 몽실몽실했고.

"……플러스마이너스로 따지면, 플러스인가."

바닥에 부딪쳐서 아픈 엉덩이를 누르면서도 조금 기쁘기도 했다.

"…………응?"

문득 시선을 느꼈다.

설마 스토커는 아니겠지 싶어서 계단 쪽을 보자…….

"우후후후후후."

어머님이 생그~읏 웃으며 이쪽을 보고 있었다.

"힘내렴. 남자아이."

"……옙."

"춥네요."

"아침이니까."

"손이 떨리고 있어요."

떨리는 건 스토커가 무서우니까…… 는 아닌 것 같아서 조금 안심했다.

하지만 아코의 눈가에 생긴 다크서클은 어제보다 훨씬 심해졌다.

제대로 자고는 있나?

어제는 LA에서도 아무것도 하지 않고 나와 아코네 집에서 앉아있던 시간이 대부분이었는데.

"몸은 괜찮아?"

"아직 괜찮아요. 앞으로 나흘, 아슬아슬해질 때까지 힘낼게요."

"앞으로 이틀인데…… 역시 괜찮지 않은 것 같네."

"에헤헤……."

12월 20일.

오늘이 최종수업이고 내일이 종업식이다.

그것만 끝나면 방에 틀어박혀 있어도 괜찮다.

"근데 아코 너, 장갑은 안 끼냐?"

"장갑을 가지고 와도 정신이 들면 어딘가에 놓고 잊어버리거든요."

"마치 길가에 버려진 수수께끼의 목장갑 같은 소리를……."

"맞아요 그런 느낌이에요."

그렇게 휙휙 장갑을 버리면 안 된다고.

"갖고 있었는데 사라진 장비 같은 것도 그런 느낌으로 떨어트리는 걸까요?"

"그건 장비하지 않은 것뿐이고, 서브캐 같은 쪽에서 갖고 있는 거라니까."

"빌려준 채 잊어버리는 일도 있잖아요."

"아이템 빌려주면 제대로 메모를 해놓으라고……."

온라인 게임에서도 빌려가 놓고 시치미 떼는 일이 많으니까 정신 바짝 차려야지.

"하아……."

아코가 양손에 하얀 숨결을 내뿜었다.

정말로 추워 보이는 그 손에 무심코 내 손을 포갰다.

"루시안?"

"자, 손잡아."

손가락을 얽고 꽈악 쥐어서 손을 잡았다.

하지만 손잡는 걸 보이는 건 부끄러운데— 아아, 그래. 숨기자.

붙잡은 손을 코트 주머니에 넣었다.

좁은 주머니가 나와 아코의 손으로 메워지고, 손이 얽혀서 생각보다 훨씬 따스했다.

"왓, 따스하네요."

"게다가 뭘까. 이 리얼충 같은 느낌."

"왠지 하이레벨 같은 느낌이 들어요."

역시 아코는 졸려 보이고, 조금 기운이 없었지만, 이 미소만큼은 평소와 똑같아 보였다.

††† ††† †††

"지금까지는 아무 일도 당하지 않았지?"

"그 편지가 온 것뿐이에요."

점심시간, 학생회실을 빌려서 회의 중이다.

원래 학생회 임원은 어디 있는 걸까? 신임투표를 한 기억이 없는데.

……점심시간에 혼자 복잡한 표정으로 앉아있는 마스터가 있는 학생회실에 다른 학생회 임원이 올 리가 없나.

"으음, 나는 아코가 좀 더 난폭한 짓을 당하지 않을까~ 싶었는데."

"그 동인처럼?"

"그 동인처럼!"

"동인지 같은 짓을 당했다간 위험하잖아!"

흉내까지 내면서 하지 말라고!

세가와도 아코도 위기감이 부족해!

"음. 책이 얇아지는군."

가슴이 뜨거워진다는 듯이 말하지 말라고.

"혹시 벌써 포기한 걸까요?"
"일부러 자택까지 조사해놓고선 바로 포기할 리가 없잖아."
"그, 그렇겠죠?"
아코는 아하하, 하고 웃으며 곤란한 듯이 말했다.
"처음에는 루시안을 둘러싸고 싸웠지만, 함께 퀘스트도 하고 던전에도 갔었으니까요. 호적수라고 쓰고 라이벌이란 느낌이어서 그다지 나쁜 이미지는 없거든요."
"그건 조금 이해가 가기도 하지만."
이렇게까지 할 정도로 사이가 나빴던 것도 아니니까.
이런 음습한 협박 문구를 쓰다니, 대체 무슨 심경의 변화지?
"스토커라는 건 원래 단기결전을 하는 게 아니다. 방심은 금물이야. ……하지만 크리스마스 직전이다. 이쪽도 예상이 되질 않는군. 직접 공격을 가할 생각은 없을지도 모른다."
"오늘쯤 아코의 라이프에 다이렉트 어택이!"
"그만둬주세요, 죽어버려요."
아코가 울상을 지으며 고개를 내저었다.
원래부터 아코는 라이프가 제로에 가까우니까.
하지만 어째서 슈슈가 협박 편지를 보낼 정도로 아코의 어그로가 어마어마하게 치솟은 걸까?
"생각할 수 있는 건 역시, 아코와 현실에서도 사이가 좋다는 이야기를 했던 거려나."

"현실의 네가 목적이었다는 거야? 첫눈에 반하기라도 했다거나?"

"말이 되냐."

어디 사는 꽃미남인데.

나에 한해서는 그런 일 없어.

"직결이 생각하는 건 모르는 법인데?"

"그런가. 나는 직결충의 표적이 된 건가……."

남자인데. 나는 남자인데.

"여자 직결충도 있는 거야? 남자만 있을 거라 생각해왔는데."

"뭐냐, 루시안. 그거야말로 위기감이 부족한 거 아니냐?"

어째서인지 마스터가 훗훗훗, 하고 음흉하게 웃으며 자기 일처럼 말했다.

"삼십 줄을 넘었는데 결혼상대가 없는 여자가 온라인 게임만 해서 여성 경험이 없는 연하남을 오프 모임에서 함락시켜서 결혼에 이른다— 는 새로운 헌팅 수단도 요즘에는 보이고 있다만?"

"진짜로?!"

있는 거냐?! 그런 게 정말 있는 거냐고?!

그보다 나, 그런 연상의 표적이 된 거야?!

"그렇다는 건…… 여동생 캐릭터인 슈슈 씨가, 실은 30세를 넘은 여성이고……."

아코가 새파란 얼굴로 나를 바라봤다.

"엠블럼과 학교 홈페이지에서 니시무라를 특정하고는, 접근해서……."

왠지 즐거워 보이는 세가와가 내게 고개를 돌렸다.

"아코 군을 협박하여 두 사람을 헤어지게 만들고, 상심한 틈을 파고들어서……."

마스터도 히죽히죽 웃고는.

전원 입을 모아 말했다.

『루시안에게 다이렉트 어택!』

"그만둬주세요. 죽고 싶어졌습니다."

책상에 퍽퍽 머리를 박고 싶어지는 기분이었다.

위험해. 내가 피해자가 되고 나서 처음으로 인터넷의 무서움을 깨달았다.

"이 얼마나 추악한 사람인가요! 온라인 게임에서 만나서 현실에서 결혼하려고 하다니! 행동이 더럽잖아요!"

아코가 울컥울컥 분노를 드러냈다.

여기가 게임이었다면 분노의 감정표현이 나올 정도였다.

하지만 그 발언, 아코에게는 굉장한 부메랑인 게…….

"앤 정말로 멋들어지게 부메랑을 던지네……."

"말하지 마. 말하지 말라고."

"…………왠지 말하고 나니까 가슴이 아파졌어요."

"풀죽지 마, 풀죽지 말라고!"

쓸데없는 생각하지 마!

"하지만 나는 이해하겠어. 이 사람, 연수입 0엔, 결혼하면 전업주부 희망, 취미는 온라인 게임입니다 같은 사람이잖아. 틀림없어."

"안 돼요, 루시안! 그런 사람과 결혼했다가는 고생할 거예요!"

아코가 힘차게 말하긴 했지만…….

"그 프로필, 아코 아니야?"

"아, 들켰어?"

데헤헤헷, 하고 혀를 내민 세가와를 보던 아코는 표정을 미소로 바꿨다.

"그래요 루시안. 그런 사람과 결혼하죠!"

"너 논리가 완전 허술하잖아."

"손바닥 뒤집기가 빠르네."

아코의 손목은 이미 너덜너덜했다.

"그렇게 낙천적으로 말하고는 있다만, 루시안 너도 경계는 게을리 하지 마라."

"어, 나는 제대로 아코를 보고 있는데?"

아니아니, 나는 아코를 걱정하고 있다고?

그래서 마중하러 가고 배웅해주러 같이 돌아가는 거잖아.

"그게 아니야. 처음 협박을 당한 게 아코 군이었던 것뿐, 루시안 본인에게 다이렉트 어택을 해올 가능성도 충분히 있다. 신변 안전에 조심하도록 해라."

"그, 그렇구나. 나도 위험한 건가……."

슈슈(35세, 자칭 여동생)이 나에게 직접 공격…… 무서워! 엄청 무서워!

"싫~어~, 연상은 싫어~."

"연상은 취향이 아닌 거냐?"

"그렇지는 않지만, 나보다 배는 많은 연령은 무리."

"그렇군. 한 살 정도는 허용 범위인가."

이상한 부분에서 기뻐하지 말아주시죠.

그런 소리를 하는 사이 점심시간은 끝나고 말았다.

마에가사키 고등학교는 종업식 직전까지 수업을 풀로 돌린다.

그래서 수업이 끝나자마자 바로 학교를 나서면 주변은 어슴푸레한 시간이 된다.

요컨대, 스토커가 있는 상황에서는 돌아가는 길이 조금 무섭다.

사람들도 많기 때문에, 경계하면서 돌아가는 게 큰일이다.

"……좋아. 세가와한테 문자가 왔어. 정문 근처 클리어. 돌아가자."

"감사합니다."

"그건 두 사람에게 말해주자."

학교 문에서 대기라도 하고 있으면 무섭기 때문에 먼저 두 사람에게 수상한 사람이 없는지 체크를 부탁했다. 그 후에 겨우 우리도 출발했다.

하지만 세가와도 역까지는 체크해줬지만 그 이후부터는 같이 갈 수 없다.

게다가 전철 안도 무섭다. 둘이서 구석에 서서 이곳저곳을 둘러보며 내릴 역에 도착하는 걸 기다리는 괴로운 시간이 이어졌다.

전철을 내린 뒤에는 이미 새카맸다.

아코네 집 주변은 주택가라서 개인적으로 일루미네이션을 단 집도 많았다.

주택가 이곳저곳이 크리스마스 장식으로 반짝반짝 빛나서 굉장히 예뻤다.

그런데도 분위기가 좋다는 생각은 들지 않았다.

"예쁜데도, 왠지 무섭네요."

"저 빛 너머에 혹시나, 같은 생각이 드니까."

집중력이 떨어지는 게 무섭다.

사람이 숨어있을 수 있는 곳이 있는 게 무섭다.

그곳에 결혼 스토커가 기다리고 있는 느낌이 드니까.

호러 게임을 하고 있는 게 아니란 말이지.

"그러고 보니 말하는 걸 잊었는데, 또 슈슈 씨한테서 IM이 왔어요."

음, 슈슈한테서 연락이 왔던 건가.

"뭐라고 적혀 있었는데?"

"당신 탓에 오빠가 궁지에 몰리고 있다, 그렇게 괴로워 보이는 표정을 지은 오빠는 처음 봤다— 같은 소리가……."

"내가 궁지에 몰리고 있는 건 너 때문이잖아아아아아아!"

전혀 모르고 있어. 이러니까 착각계는 무섭다.

게다가 대체 어디서 내 표정을 보고 있는 거야.

으아아아아, 지금도 어딘가에 있는 건가?

"이제 같이 게임할 수 있는 날은 오지 않는 걸까요……."

"이런 상황에서 누가 즐겁게 게임을 하겠어."

"새 게시판입니다. 즐겁게 써주세요. 사이좋게 써주세요."

"무리해서 웃기는 이야기 안 해도 돼."

즐겁게 놀지 못했으니까.

사이좋게 쓰지 못했으니까.

게다가 아코는 완전히 말려든 셈이다. 나 때문에 아코한테까지 민폐를 끼치고 있다.

게임이라면 언제나 좀 더 잘 빠져나갈 수 있건만.

장비도 있다, 레벨도 높다, 플레이어 스킬도 있고, 믿음직한 동료도 있다.

하지만 현실의 내게는 아무것도 없다. 모두에게 민폐만 끼치고 있을 뿐이다.

게임과 현실은 다르다. 다르지만, 그렇기 때문에 현실에서는 한심할 뿐이었다.

"미안해, 아코. 나 때문에 이런 일을 당해서."

"그렇지 않아요. 제가 그 사람을 이기지 못했기 때문이니까요!"

"그때 패배가 영향을 준 건 아니거든."

무슨 연속 퀘스트도 아니고.

처음 퀘스트에서 후반 전개를 바꾸는 건 그만둬.

"제가 얼마나 루시안을 사랑하는지 이해해줬다면 분명 이런 일은 되지 않았을 거예요."

"왠지 그 착각계, 상당히 자기 생각에 빠져 사는 아이 같았고, 그렇게 간단하게는 되지 않을 것 같은데."

"자기 생각에 빠져……."

문득 아코가 침묵했다.

"왜 그래?"

"아뇨, 아무것도 아니에요."

아코는 작게 말하고는 졸린 듯이 고개를 내저었다.

"도망치지 말고 직접 와준다면 저희의 사랑을 증명할 수 있을 텐데요."

"그러게. 볼일이 있다면 직접 말하면 된다고."

직접 말해주면 얼마든지 반박할 수 있건만.

직접— 그래.

직접, 이라.

아코를 집에 데려다주고 나서 집으로 돌아왔다.

부활동이 없다고는 해도 굉장히 멀리 돌아갔고, 아코네 집에서 차 같은 것도 마시기도 했기 때문에, 이러쿵저러쿵 하다 보니 평소랑 변함없는 시간에 귀가했다.

"다녀왔습니다."

"아, 오빠."

거실로 들어서자 요즘 자주 보는, 노트북 앞에 앉은 미즈키가 걱정스럽게 나를 바라봤다.

"피곤한 것 같은데, 괜찮아?"

"미즈키보다는 전혀 피곤하지 않은데."

나는 착각계 스토커(35세, 자칭 여동생)에게 정신적인 스트레스를 받아서 피곤한 것뿐이니까.

공부 열심히 하냐며 웃으며 흘려버렸지만 미즈키는 염려하는 표정을 풀지 않았다.

이 녀석에게 쓸데없는 걱정을 끼칠 수는 없단 말이지.

"……아니, 잠깐만."

"왜 그래? 오빠."

내가 스토킹을 당하고, 아코한테 협박 문구가 왔다.

그렇다는 건 혹시 가족한테도 위험이 닥치는 게 아닐까……!

"저, 저기 미즈키. 요즘 이상한 사람 보지 않았어?"

"이상한 사람? 오빠 말고?"

"네가 듬직하게 자라줘서 오빠도 기쁘긴 한데, 그런 게 아니라."

그런 건 진지하게 말하지 말았으면 좋겠습니다.

어흠 헛기침을 하고는 말을 이었다.

"실은 말이지…… 내가 지금 스토킹을 당하고 있는 것 같거든."

"응, 알고 있어."

"믿을 수 없겠지만 사실이야."

"알고 있다니까."

"……뭐?"

어라? 말했었던가?

"이상한 착각계한테 스토킹 당하고 있지? 온라인 게임에서 만난 사람."

"그래그래. 뭐야, 알고 있었구나."

그럼 설명이 쉽지.

그러니까, 라고 진지하게 이어 말했다.

"아무 일 없을 거라 생각하지만, 만에 하나 네가 말려들기라도 하면 큰일이니까, 무슨 일 있으면 바로 말해줘."

"응, 알았어."

"폐 끼쳐서 미안해."

미즈키는 순순히 끄덕였다. 착한 아이야, 응.

오빠로서 여동생한테만큼은 폐를 끼칠 수 없지

무슨 수를 써서라도 내가 결판을 내야겠다고 강하게 결의했다.

"하지만 괜찮아, 오빠."

그런 결의를 다지던 중, 미즈키가 의기충천한 모습으로 양손을 들며 말했다.

"내가 어떻게든 해줄 테니까! 맡겨줘!"

"어째서야!"

무슨 흐름으로 그렇게 되는 건데!

나의 끓어오르던 오빠 마음은 대체 어쩔 거야!

"내 문제니까 내가 어떻게든 할 거야!"

"그치만 오빠, 여자를 상대로 딱 잘라 말할 수 있어? 응석을 부리면 왠지 모르게 떠밀리지 않아?"

"……그, 그렇지 않거든!"

"그런 표정을 짓고 있을 때의 오빠, 대부분 거짓말인걸……."

"동작이나 말투가 아니라 표정으로 판단하는 건 그만둬."

얼굴 전체라면 가릴 수가 없잖아.

이러니까 여동생은.

"애초에 말이지, 네가 걱정된다는 말을 하고 있을 때 맡겨달라는 말을 들으면 맡길 수 있을 것 같아? 너한테 무슨 일이라도 생기면 어쩔 건데."

"……그렇게 내가 걱정돼?"

"당연하지. 단 하나뿐인 여동생인데."

온라인 게임 속에는 자칭 여동생(35세 독신)이 있지만.

"게다가 결판 낼 생각인 건 사실이야. 크리스마스는 아코랑 같이 있을 거니까."

"……아코 언니랑?"

"그래. 그러니까 확실하게 끝을 봐야지."

즐거운 크리스마스까지 슈슈에 대해서 신경 쓰며 보내는 건 싫다.

그 전에 단호하게 말해서 아무 걱정 없이 파티를 하는 거다.

"그렇구나. 크리스마스에……."

고개를 끄덕인 미즈키는 웃으며 내게 말했다.

"알았어. 오빠를 믿고 맡길게."

"오냐. 제대로 정리할게."

"하지만…… 그렇구나. 오빠는 크리스마스에 집에 없구나."

"고등학생이 된 오빠는 조금 어른이 됐거든."

"어……."

핫핫핫 하고 웃어넘겼지만 미즈키는 조금 불안한 듯이 눈썹을 찡그렸다.

"역시 걱정돼…… 나도 보러 가볼까……."

"바보 같은 소리를 하면 안 됩니다."

그럼 간다, 라며 거실을 나왔다.

……어라. 그러고 보니.

추운 복도를 지나 내 방으로 가면서 깨달은 건데.

아코에 대해서 미즈키에게 이야기한 적이 있었던가?

아마 없던 것 같은데…… 숨기려던 건 아니었으니 알고 있더라도 이상하지는 않다.

도시락 관련으로 부모님은 알고 있으니 그쪽에서 들은 건가.

그런 고민을 하면서 계단을 올라 방으로 들어가 컴퓨터를 켰다.

생존보고를 겸해서 LA를 켰다. 익숙한 캐릭터를 선택.

"내가 결판을 내겠어. 그래. 직접."

아코의 말을 듣고 떠올랐어.

슈슈에게 직접 말을 하면 된다는 걸.

아코에게 IM을 보낸 것처럼, 나도 슈슈에게 IM을 보내서 항의하자.

나와 아코가 얼마나 진지한 교제를 하고 있는지— 아니, 진지한 교제인지에 대해서는 이의가 엄청 많겠지만, 아무튼 자칭 여동생(35세 독신) 같은 착각계한테 불만을 들을 여지는 없단 말이야.

그리고 미안하지만, 두 배 이상의 연상은 무리라고.

"좋아. 친구 리스트에서 메일을…… 어라?"

IM을 하려고 친구 리스트를 확인해보니— 있다!

이벤트에서 강제적으로 등록된 친구 캐릭터, 슈슈가 온라인 표시가 되어 있었다.

타이밍이 좋군. 이제 말할 수밖에 없다.

더 이상 민폐를 끼치게 둘 수는 없다. 내가 아코를 지켜줘야지!

직접 대결이다!

◆루시안 : 슈슈, 있냐?

개인 채팅을 보내자 바로 반응이 돌아왔다.

◆슈슈 : 아, 오빠.

평소 그대로의 캐릭터다.

이렇게 이야기를 나누면 그냥 착각계지만— 이게 삼십 줄 스토커라고 생각하면 용서 못하겠군.

내가 할 말은 정해져 있다.

◆루시안 : 저기, 아코에 대해서 말인데.

크게 숨을 들이쉬고 기합을 넣은 뒤 키보드를 쳤다.

◆슈슈 : 응. 아코 씨에겐 이제 아무 짓도 안 해.

◆루시안 : 더 이상 쓸데없는 짓은…….

어라?

그 이야기, 아직 안 했는데?

왜 갑자기 말귀를 잘 알아듣게 된 건데?

◆루시안 : ……이제 아코한테 아무 짓도 안 해?

◆슈슈 : 안 한다니까.

◆루시안 : 참고로, 나에게도 아무 짓도 안 해?

◆슈슈 : 괜찮다니까. 신용이 없네, 참.

어, 어라아?

어째서? 어째서 또 내가 무슨 말을 하기도 전에 매듭이 지어진 거지?

내 남편으로서의 결의는 이제 어디로 가야 하는데?

◆슈슈 : 그치만 또 오빠가 한심하게 대처하면 나도 물러나지 않을 거야.

◆루시안 : 아뇨. 괜찮습니다!

◆슈슈 : 정말.

저쪽에서는 기분 좋은 채팅만이 돌아왔다.

◆슈슈 : 정말로 노력해줘. 오빠.

◆루시안 : 허, 허어.

▶슈슈가 로그아웃했습니다.◀

"어, 어어……"

모르겠어. 나 재를 모르겠어.

왜 직접 대결을 하려고 하니까 이미 끝났는데요, 같은 분위기로 슬그머니 넘어가버리는 건데?

안 했지? 나, 슈슈랑 직접 대결한 적 없지?

요전에도 그랬지? 어떻게 된 거야?

◆아코 : 다녀왔습오렴~.

그때 아코가 길드 채팅으로 들어왔다.

아아, 알기 쉬운 아코라서 안심했다.

여자아이는 이런 애 쪽이 좋아…….

◆루시안 : 어서 와. ……근데 그 이상한 인사는 뭐야?

◆아코 : 다녀왔습니다랑 어서오렴을 섞어봤어요.

◆루시안 : 왜 그 두 개를 섞었는데.

◆아코 : 대답이 없더라도 쓸쓸하지 않잖아요.

◆루시안 : 혼자서 양쪽 다 하려고 하지 마! 대답해줄 테니까! 그거 너무 슬프잖아!

◆아코 : 루시안도 무사히 돌아가서 다행이에요. 어서 오세요.

◆루시안 : 다녀왔다. 무사…… 응, 무사하긴 하지만.

◆아코 : 무슨 일이라도 있었나요?

있었다고나 할까, 없었다고나 할까.

전부 사라졌다고나 할까.

◆루시안 : 방금 슈슈가 있길래 이야기를 해봤어.

◆아코 : 어, 무슨 이야기를 했는데요?

◆루시안 : 이제 아코에게 협박 같은 건 안 한대. 나한테도 아무것도 안 하고.

◆아코 : 에에에엑?! 그렇게 간단히요?! 왜요?!

◆루시안 : 나도 모르겠어…….

자기 세상 속에서 살아가는 사람은 전혀 모르겠다.

다른 오빠를 찾아낸 걸지도 모르겠네.

◆아코 : 역시 루시안이네요. 제가 못하는 일을 태연하게 하니까요!

아코가 척 하고 승리의 포즈를 3인분 정도 취했다.

◆루시안 : 애매한 기억으로 엉성하게 소재를 써먹는 건 그

만둬.

◆아코 : 길어서 잘 기억이 안 나서…….

자주 있긴 하지. 기억이 안 나니까 억지로 쓰는 거.

하지만 다행이다. 이걸로 안심하고 크리스마스를 맞이할 수 있다.

선물도 제대로 준비해놨으니까.

◆아코 : 그렇다면 나머지는 열심히 해서 시간에 맞춰야겠네요…….

그때 아코가 그런 말을 했다.

◆루시안 : 렙업이라도 할 거야?

◆아코 : 굳이 따지자면 퀘스트에요.

◆루시안 : 도와줄까?

◆아코 : 아뇨. 혼자서 힘낼게요! 기대해주세요!

뭘 힘내려는 걸까.

아코가 내 도움을 거부하고 혼자서 하려고 하다니, 뭐지?

생산 스킬을 올리는 건가? 어째서인지 아코는 그것만은 나에게 아무 말도 하지 않고 하고 있으니까.

◆세테 : 얏호호~.

◆루시안 : 아, 세테 씨 어서 와.

◆세테 : 루시안 얏호호~

세테 씨가 한손을 들고 기운차게 인사했다.

◆루시안 : 그 인사는 유행하지 않고 유행시키지도 않을 건

데요.

◆아코 : 얏호호~.

◆루시안 : 여럿이서 쓰지 말라니까.

◆세테 : 유행시킬 생각은 없지만…… 무슨 일 있었어? 기분 좋아 보이네?

◆루시안 : 조금 좋은 일이 있어서.

그런 이야기를 하던 중 딩동, 메시지가 떴다.

공식 사이트 갱신. 업데이트 예고다.

◆세테 : 어라? 벌써 갱신됐구나. 빠르네.

◆루시안 : 직전이니까 조금 빠른 거겠지. 내용은?

마지막 이벤트는—그렇군.

레전더리 에이지 크리스마스 최종 이벤트.

◆아코 : 크리스마스, 대고백대회…….

3장

미즈키 죠우시

And you thought there is Never a girl online?

평소에는 이 방의 주인이라고 말하듯이 자기주장을 하고 있던 전자기기가 오늘은 방 한구석으로 쫓겨났다.

테이블에는 그걸 대신해서 과자와 음료수, 식어도 괜찮은 음식이 놓였다.

작은 트리도 장식되어 눈이 아프지 않을 정도로 빛을 반짝이는 중이다.

평소에 연락이나 작전회의에 쓰는 화이트보드에는 수많은 컬러펜으로 적힌 『현대통신전자 유희부 크리스마스 파티!』라는 문자가 춤추고 있었다.

"……이거, 언제 준비한 거야? 마스터."

"내가 혼자 했다. 어제 안에 끝마쳤지."

"모처럼 있는 공휴일에 뭐하는 거야……."

"혼자 들떠서 준비하는 마스터가 상상돼서 안쓰럽잖아."

아무도 오지 않은 채 파티가 뒤엎어지지 않아서 다행이네.

12월 24일.

현대통신전자 유희부, 첫 크리스마스 파티는 무사히 개최되었다.

"직전까지 여러모로 문제투성이였으니…… 개최가 된 것만으로도, 나는, 나는……."

"울 것까지는 아니잖아. 자자, 괜찮아."

아직 시작도 안 했는데 마스터는 울먹이고 있었다.

뭐, 그렇지. 공포의 결혼 활동 스토커 같은 게 있었으니까.

"……뭔가 문제라도 있었던 건가냐?"

"아뇨. 아무 일도 없어요. 신경 쓰실 것 없어요. 선생님."

만장일치로 고양이공주 씨한테는 비밀로 하기로 했다.

고작 2, 3일 사이에 있던 일이었으니까.

게다가 그 탓에 부활동 자체가 폐지되기라도 하면 무섭잖아.

그 이후 아코의 신변에는 아무 일도 일어나지 않았다.

학교도 쉬니까 틀어박혀있는 것 같고.

오늘도 만전을 기해서 마스터가 차로 마중을 나갔다고 한다.

"저기, 아코. 마스터네 차는 리무진 같은 거였어?"

세가와가 들뜬 표정으로 물어봤다.

아무리 그래도 일본에서 리무진은 굴리기 어렵잖아.

"음, 맛있어 보이는 이름을 가진 평범한 차였어요."

아코는 별것 아니었다는 듯이 대답했다.

"맛있어 보여……?"

"롤에 슬라이스, 같은 거였던 것 같은데요."

"아, 응……."

롤이네. 스로이스네.

그렇군, 알기 쉽네.

“소비자 가격만으로도 집을 살 수 있을 것 같은 차잖아…… 일본에서 타지 말라고……”

“소비자 가격이라니 실례군. 정규 제품이다. 누구라도 살 수 있다.”

“못 산다고. 살 수 있다면 좀 사줘.”

팔아치워서 아코랑 둘이서 행복하게 살 테니까.

“나도 외제차를 가진 남친이 있다면 이런 곳은 오지 않는다냐……”

“온라인 게임에서 결혼하죠.”

“왜 온라인 게임 한정인거야냐!”

정말로 예정이 없었는지 고양이공주 씨도 제대로 와줬다.

참고로 파티 회장인 부실에 찾아온 선생님은 조금 울상이었고—.

“학생이 학교에서 크리스마스 파티를 한다면 거기 가줘야 하잖아! 교사는 참 힘들다니까! ……라는 변명으로는, 솔직히 굉장히 편리했다냐……”

그렇게 분한 듯이 말했다.

어른의 세계도 여러모로 큰일인 모양입니다.

“다들 왔어? 메리 크리스마~스!”

마지막으로 아키야마가 왔다.

입 밖으로 꺼내면 아코가 토라지니까 말하진 않겠지만, 옷차림 귀엽네요.

저걸 뭐라고 부르는지는 모르겠지만, 긴 코트 속에 미니스커트가 살짝 보였다. 살짝 보이는 부분이 포인트라고 생각한다. 아마도.

"……응?"

내 시선을 느낀 건지 아키야마가 자신의 상태를 확인하려는 듯이 빙글 돌았다.

그리고는 자기 채점이 합격점이었는지 고개를 살짝 끄덕였다.

"고마워."

"……아무 말도 안했습니다만?"

이 사람도 온라인 게임에서 자주 보이는 무언의 의사소통에 상당히 익숙해진 것 같다니까.

"루시안이 스토킹을 당하고, 아코가 협박을 당했다고 아카네한테 들었는데."

"응. 그건 지나갔으니까 괜찮아."

"……왜 나는 부르지 않은 거야?"

원망스럽게 물어도 곤란합니다.

이유는 그게, 매우 단순하다.

"……아코도 나도, 네 연락처를 몰랐으니까."

"아코오오오오오오오오, 라인 등록하자아아아아아아아!"

세테 씨가 반쯤 울상으로 아코에게 달려갔다.

"라인 안 해요."

"왜 그런 거짓말을 하는 거야!"

저 녀석 악녀야…… 역시 악녀야…….

우우우, 하고 눈가를 누른 후에 정신을 차린 그녀는 휙 하고 백발의 아저씨가 그려진 봉투를 꺼냈다.

"이거, 선물. 켄터키 치킨, 일부러 줄서서 사온 거야."

"……….."

"……….."

싱글벙글 웃는 세테 씨에게 우리는 말없이 시선을 나눈 후, 테이블 한쪽을 가리켰다.

"켄터키는 저곳에 부탁드립니다."

"어?"

그곳에는 켄터키 파티 세트가 이미 두 개.

"겨, 겹쳤어?!"

크리스마스에 익숙하지 않은 폐해입니다.

일단 켄터키를 사면 되겠지, 같은 부분이 있거든요.

CM의 영향 같은 걸 노골적으로 받아버립니다.

이렇게 많은 치킨을 다 먹을 수 있으려나.

"자, 그럼 전원 다 모였군."

"파티 시작인가."

건배 같은 걸 하려나.

여자아이가 있는 크리팟 같은 건 처음이라 두근거리는데.

그런 내게 마스터가 하얀 봉투를 척 떠넘겼다.

"그럼, 옷을 갈아입어라."

"……갈아입어?"

"응."

어떻게 된 거죠, 라고 모두에게 확인하자 다들 당연하다는 듯이 수긍했다.

"……다녀오겠습니다."

"끝나면 부를게요~."

파티 시작하자마자 쫓겨났다.

복도는 춥습니다. 춥다고요.

봉투를 열자 그 안에 들어있던 건 전에 입은 적이 있던 집사복이었다.

이건 문화제 때 마스터가 쓰지도 않는데 가져왔던 녀석이다.

이거, 남아있었구나…….

"일단 갈아입을까……."

어차피 교내에는 우리밖에 없기 때문에 조금 몸을 떨면서 서둘러 갈아입었다.

휴대전화로 넥타이 묶는 법을 조사하면서 전부 끝난 타이밍에 부실에서 목소리가 들려왔다.

"루시안, 끝났어요~. 들어오세요~."

"알았어~."

그럼 실례합니다, 라고 말하며 문을 연 내 눈앞에—.

"메리 크리스마~스!"

퍼퍼퍼퍼펑! 하고 폭죽이 연속에서 터졌다.

깜짝 놀랐잖아! 저기, 무슨 옷으로 갈아입었는지 보려고 시야가 집중됐을 때 놀라게 하는 건 그만두라고!

"시, 심장이 멎는 줄 알았어……."

"그래? 그렇게 귀여워? 호호호."

잘난 듯한 세가와의 목소리.

그래. 옷을 보고 싶다고.

모두를 둘러보자 그곳에는— 산타클로스가 기다리고 있었다.

"다들 산타복인가……."

"게임과 맞춘다는 것이 규칙이었으니 말이다. 게임 안에서 산타 코스튬이 유행하는 이상, 우리도 이거다."

드레스처럼 등이 파인 산타복을 입은 마스터가 말했다.

"이거 봐봐 니시무라, 아코 엄청 야해!"

스커트가 크게 펼쳐진, 파니에가 들어간 산타복을 입은 세테 씨가 내 앞에 아코를 내밀었다.

"귀, 귀엽나요?"

어째서인지 가슴이 파인 아코의 산타복.

이곳저곳에 하얀 모피가 붙어있긴 하지만, 그 이상으로 아코의 피부가 하얗게 반짝이는 것처럼 보였다.

"귀, 귀엽네. 응, 엄청."

"에헤헤헤헤."

"그래그래 폭발 폭발."

묘하게 빨간색이 어울리는 세가와는 단이 짧은 스커트 산타복이었다.

"너무 선정적인 건 추천하지 않는다냐."

고양이공주 씨는…… 고양이귀를 장착했군요.

그래도 이건 절경이었다.

산타 다섯 명. 선물을 받는 건 나.

오오…… 멋져, 멋진 모습이야…….

"크리스마스는, 여기에 있었어……!"

무심코 감탄의 목소리가 새어나왔다.

"처음부터 있었는데."

"거기서 솔직하게 기뻐하는 부분이 네 미덕이긴 하네."

"착한 아이인 루시안에게 선물이에요~."

"선물 교환은 나중이다. 먼저 미팅을 해야지."

마스터가 그렇게 말하며 한 장의 종이를 척 꺼냈다.

순서표라고 적혀 있었다.

"어어, 남자 쪽이 나, 세가와, 마스터고……."

"여자 쪽이 아코랑 나나코랑 선생님……?"

"게임에서 했던 때랑 같은 구성으로 했다."

마스터가 씨익 웃으며 말했다.

"게임에서는 남캐였으니까 상관없지만, 현실에서는 거의 여자네……."

"안녕하세요. 청일점입니다."

그야말로 하렘팟이군.

"그럼 전원 자리에 앉아라. 파티를 시작하자!"

"나, 크리팟도 미팅도 처음이야."

"저도 그래요!"

전원이 두근두근 들썩들썩거리는 모습이 엿보였다.

어쩌지. 텐션이 오르는데?

"어쩔래? 자기소개라도 할까?"

익숙한 건지, 그저 냉정한 건지는 모르겠지만 평소 그대로의 세테 씨가 말했다.

"그, 그럼 저부터!"

설마 하던 아코가 자주적으로 1번 타자에 나섰다.

이 시점에서 보통 때랑 분위기가 달라!

"타마키 아코입니다. 오늘은 그이하고 함께 왔습니다. 잘 부탁합니다."

처음부터 유부녀 선언?!

"미팅에서 그건 규칙 위반 아니야?!"

"거북해. 평범한 미팅이었다면 거북할 거야."

"하지만 말을 꺼낸 본인은 매우 만족스러운 것 같군……."

"그럼 다음은 나네."

빨리 하는 편이 상처가 적을 것 같아서 아코 맞은편에 있던 내가 입을 열었다.

"안녕하세요. 니시무라 히데키입니다. 저는 눈앞의 아코를 노리고 있습니다. 첫인상으로 정했습니다."

"꺄아, 저도 그래요!"

"그런 건 남자끼리의 작전회의에서 말하라고!"

"맞다. 화장실에서 회의를 하는 게 규칙 아니냐!"

남자 화장실에 들어갈 수 있는 건 나밖에 없잖아.

"그럼 다음은 내가 하지."

마스터가 슬쩍 손을 들었다.

"고쇼인 쿄우다. 스스로 말하는 것도 뭣하지만, 상당한 부잣집 자식이므로 부디 노려주기를 바란다."

"뭐야 그 돌직구 어필은?! 자학?!"

마스터가 스스로 희생해서 웃음을 터트리려고 나섰어!

"사이토 유이입니다! 오늘은 젊은 애들만 있어서 조금 긴장되지만, 잘 부탁한다냥!"

게다가 선생님이 잡아먹을 듯이 뛰어들었다!

"냥 포즈까지 첨부했는데?!"

"부끄러워하면서도 씨익 웃으며 자리에 앉는 모습도 높은 포인트로군."

그러던 중 내 옆에 있던 세가와가 바로 일어났다.

"세가와 아카네야. 오늘은 너희들 말고도 권유를 받았는데 일부러 와줬으니까 감사하라고."

흥 하고 트윈테일을 손으로 젖혔다. 이 녀석, 약삭빠르군!

"캐릭터를 살리고 있다냐!"

"다른 권유를 거절하고 왔다는 어필이 들어간 것도 고도의 작전이에요!"

역시 크리스마스다. 전원 타협을 허락하지 않는 분투를 보이고 있어!

그리고 홀로 남겨진 세테 씨에게 시선이 모였다.

"어, 저기……."

세테 씨는 예상 밖의 흐름에 곤혹스러워했지만 역시 리얼 충답게 바로 마음을 다잡고 말았다.

"아키야마 나나코, 1학년입니다~. 지금은 귀가부지만, 중학교 때는 테니스 부에 있었습니다. 요즘 온라인 게임을 시작해서 약간 오타쿠화됐어요~. 크리스마스인데 남친 같은 건 없으니까, 오늘은 마지막까지 열심히 놀 생각으로 왔습니다. 잘 부탁해요!"

또박또박해서 듣기 쉬운데다 매우 멋진 미소였다.

"…………."

"………………."

"어라?"

갑자기 말없는 분위기가 되어 세테 씨는 오들오들거리며 주변을 둘러보기 시작했다.

"어, 왜 분위기가 살지 않는 건데?! 예~이! 라고 말할 때 아니야?!"

"……그게에."

"말이지이."

"뭐가 이상했는데?!"

쇼크를 받은 아키야마가 필사적으로 호소했다.

"아웃도어 취미와 인도어 취미를 양쪽 모두 어필해서 다들 화제를 꺼내기 쉽게 했고! 남친이 없다는 선언을 제대로 넣어서 도중에 돌아가는 사람이 있더라도 분위기가 다운되지 않도록 마지막까지 돌아가지 않겠다는 어필까지 넣었는데?!"

아니아니, 그런 게 아니라.

우리는 견본을 보여주길 바란 게 아니란 말이지.

"지적할 곳이 없어."

"의외성이 없어요."

"소재로는 약하네."

"재미가 떨어지는군."

"캐릭터가 서지 않는다냐."

"뭐, 뭐, 뭐……."

경악해서 굳어진 세테 씨를 곁눈질하며 우리는 바로 주스가 담긴 컵을 들어 올렸다.

"그럼 파티를 시작하자!"

"메리 크리스마~스!"

"미팅은 그런 게 아니야~!"

리얼충의 진심어린 절규와 건배 소리가 겹쳤다.

"이상해. 이런 미팅이 있어선 안 돼."

"뭐, 괜찮잖아. 우리다우니까."

"우우."

마음을 다잡듯이 주스를 들이킨 세테 씨는 우리를 둘러보며 말했다.

"그럼 일단 토크를 하자!"

"…………"

"…………토크?"

"조금 전까지 즐거워 보였는데 왜 갑자기 입을 다무는데?!"

그렇게 말해도 곤란한데.

"토크를 하자는 말을 들으면 입을 다물게 되거든요."

"토크를 하라고 해도 말이지."

프리토크? 뭐?

토크를 하라고 강제한 시점에서 프리가 아니잖아!

라고 생각하지 않아? 보통?

"심술통이네 정말!"

세테 씨가 울컥 화를 냈다.

우리는 오들오들 떠는 중입니다.

"애초에 미팅에서 할 만한 이야기가 없어."

세가와가 어깨를 으쓱했다.

"그렇게 부담 가질 필요 없다니까!"

세테 씨는 칫칫칫 손가락을 흔들며 흐흥 하고 가슴을 폈다.

"아무 생각 없이, 편하게 좋아하는 이야기를 할 수 있는 사람을 찾는 게 미팅의 중요한 부분이야. 아카네도 그런 사람과 사귀고 싶잖아?"

"그건 이의 없지만."

세가와는 좁은 파티 회장을 슬쩍 둘러보며 말했다.

"애초에 이 안에서 적당히 편하게 이야기하지 못하는 사람은 없어."

"하긴."

대화를 하라고 시키면 곤란하지만, 평소라면 뭐든 이야기할 수 있는 멤버니까.

하지만 무슨 생각인지 세테 씨는 곤란한 표정으로 입을 다물었다.

"어, 저기……."

그리고는 말해도 좋은 건지 나쁜 건지 같은 복잡한 표정을 아코에게 돌렸다.

"이의가 없다니…… 아아, 응…… 아무것도 아니야……."

"조금 둔한 루시안과 슈가 좋아요."

"바보 취급 하는 거야?"

"그럼 토크 테마를 정하자!"

얼버무리듯이 외친 세테 씨가 휴대전화 화면을 보여줬다.

"버튼을 누르면 토크 테마가 표시되는 앱이야!"

"으음? 요새 미팅은 그런 것도 쓰는구나."

"선생님, 말씀에서 연배가 느껴져요."

"연배라는 말은 그만두라냐!"

이 사람도 냥냥거리는 게 꽤 익숙해졌네.

하지만 이런 앱이 있다면 화제는 곤란하지 않겠는걸. 리얼충의 발명은 대단하다.

"그럼 스타트!"

톡, 버튼을 누르자 화면 안에 토크 마크가 빙글빙글 돌았다.

그리고 표시된 것은—.

"가족 이야기네요. 줄여서?"

안 줄여. 충분히 짧다고.

"가족 이야기…… 가족이라."

"루시안의 이야기라도 되나요?"

"과연 가족인지 어떤지 이의가 나올 테니까 그만둬."

"네에."

아코가 그럼, 하고 손을 들었다.

"들어주세요. 아빠랑 엄마가 너무하다고요."

"거짓말 하지 마."

"내용을 듣기 전에 거짓말 판정 내리지 말아주세요!"

그치만 그 부모님이 아코에게 너무한 짓을 하는 장면을 상상할 수가 없는걸.

"어어, 그게 말이죠. 원래 집에서 크리스마스 파티를 할 예정이었는데, 이 이벤트가 있어서 크리스마스에는 저녁을

차릴 필요가 없다고 알려드렸어요."

"나랑 똑같군."

마스터가 흠흠 끄덕였다.

"그랬더니 엄마가 좋아하면서 그럼 크리스마스에는 레스토랑을 예약하죠! 라고 말하는 거예요!"

…………뭐.

"예약이라니…… 부모님 두 분이서?"

"그렇다니까요!"

따돌림을 당했어? 크리스마스에 가족한테 따돌림을 당했어?

"어차피 루시안이랑 같이 있지? 크리스마스 이브에는 아빠랑 둘이서 식사하러 가서 그대로 다음 날 돌아올 테니까 너도 외박해도 괜찮단다— 라고 태연하게 말했다고요!"

"엄청난 어머니시네."

"으, 으음."

"아빠도 싱글벙글 웃으며 끄덕이고 있고! 외동딸에 대한 대응이 이상하다고 생각해요! 만약 급하게 모두한테 예정이 생기기라도 하면 어쩌라고요?! 저는 크리스마스날 밤에 아무도 없는 집에서 고독하게 온라인 게임을 해야 하잖아요?!"

"그거, 안 되는 거야?"

세가와가 묻자 아코는 어라? 하고 고개를 갸웃했다.

"……딱히 안 되는 건 아니네요?"

자주 있는 일이다.

오히려 예년대로.

"아코네 부모님 치고는 딱히 이상하지 않은 것 같아."

"아코 군의 부모님이라고 생각하면 말이지."

"어째서인가요!"

아코가 우와아앙 소리를 내지르며 투덜투덜 말했다.

"아빠도 엄마도 사이가 너무 좋다고요. 언뜻 보면 엄마가 아빠한테 홀딱 빠진 것처럼 보이지만, 잘 보면 아빠가 엄마한테 무르고……."

"……나, 그런 부부, 한 쌍 알고 있어."

"나도다냐."

질색하는 듯한 감상이 날아왔다.

의외로 있구나. 그런 부부.

좋겠다. 동경하게 된다니까.

"그러고 보니 가족 하니까 생각난 건데. 너, 여동생은 괜찮아?"

세가와가 나에게 그런 말을 던졌다.

"여동생이라니, 35세 쪽?"

"15세 쪽이야! 그쪽은 아무래도 좋다고!"

하긴 그렇지. 깜짝 놀랐네.

"평범하게 집에 있을 것 같은데. 공부해야 하니 외출하지는 않을 거야. ……아아, 늦어지면 마중을 나가겠다는 이상한 소리를 하긴 했지만.”

“……너네 집, 역시 남매관계가 조금 이상하지 않아?”

“평범하다니까.”

“시누이…… 시누이에요…….”

“그러니까! 너는! 내 여동생을 멋대로 원망하지 말라고!”

착한 아이라고 했잖아!

“……아, 여동생 이야기가 나와서 말인데.”

그때 세테 씨가 화제를 바꿨다.

“나는 남동생이 있는데, 요즘 반항기여서.”

“호오, 세테는 남동생이 있었나.”

“누나 캐릭터 같은 느낌은 있잖아요.”

“누나 캐릭터인가?”

그녀는 그런가? 라며 뺨을 매만지며 말을 이었다.

“그래서 말이야. 초등학생 시절에는 누나아~ 하고 언제나 뒤를 따라다녔는데, 중학생이 되고 나서는 머리 쓰다듬게 해주지도 않고, 내 옷을 골라주지도 않고, 화장을 시켜주려고 했는데 도망치더라고.”

“브라콤인가.”

“여기에는 변태밖에 없네.”

“그렇지 않아! 남매는 이런 느낌이라고!”

“……그거 정말로 남동생인가요?”

아코가 조금 고개를 갸웃하며 중얼거렸다.

"왠지 성우가 블로그나 라디오에서, 어딜 봐도 교제 상대 이야기인데 동생이라고 변명을 하며 떠들고 있는 것 같은 위화감이……."

"그런 건 눈치채더라도 말하면 안 돼."

너무 사랑한 나머지 스테이지로 끌려나오는 동생도 있으니까 믿어달라고.

"토크가 활기를 띄고 있는데 뭣하지만, 슬슬 메인디시를 꺼내도 될까?"

마스터가 그런 소리를 하며 자리에서 일어났다.

"메인디시?"

"크리스마스 케이크다."

아아, 그렇지. 크리스마스라고 하면 케이크지.

그러고 보니 게임에서는 회복 아이템인 케이크가 고성능이라 대량으로 먹기도 하지만, 그건 대체 어떻게 하는 걸까. 빨리 먹듯이 입안에 쑤셔 넣는 건가?

"조금 크다."

마스터는 냉장고를 열고 문자 그대로 커다란 케이크 상자를 꺼냈다.

……냉장고?

"왜 냉장고가 있는데?"

"오늘 도착한 거다."

"이걸 위해 산 거야?!"

점점 충실해져가는 부실이 무서웠다.

지금 시점에서도 내 방보다 거주성이 좋건만.

"정말로 큰데? 이거 여섯이서 먹을 수 있어?"

"절반 정도라면 먹을 수 있어!"

"꼭 먹으라고 하면 혼자서도 될 걸."

아키야마, 세가와팀이 그렇게 주장했다.

굉장하네, 너희들. 디저트용 배가 얼마나 큰 거야.

"나는 전부는 무리다냐……."

"어라? 고양이공주 선생님. 벌써 나이 먹은 거 아냐?"

"반올림하면 너희랑 같은 나이다냐아아아."

"아아아항복항복항복항복! 켄터키 꺼낼게!"

세가와가 고양이공주 씨를 도발하는 것도 익숙해진 느낌이 든다.

"이, 이건!"

그때 케이크 상자를 보고 있던 세테 씨가 뭔가에 반응했다.

"상자에 적힌 가게 이름을 어디서 본 것 같아!"

뭔가 센서에 걸린 것 같다.

"믿을 수 있는 가게의 상품을 부탁했다."

주최자니까, 라고 마스터가 말한 이상 아마 제대로 된 가게겠지. 분명.

어쩌고 파리, 같은 긴 이름이 적혀 있었지만 나는 전혀 모르겠습니다.

“미국어는 못 읽어요…….”

아코도 전혀 모르는 것 같습니다.

“아코, 이건 프랑스어란다?”

“그보다 선생님, 미국어라는 소리를 먼저 지적해줘.”

선생님한테서 버림받은 느낌이 들잖아! 아니야, 얘는 개그 한 것뿐이라고!

“그런데, 이 가게 그렇게 굉장해?”

“굉장했을 거야!”

세테 씨가 고개를 앞으로 내밀며 말했다.

“어떻게 말해야 전해지려나…… 언제나 줄이 늘어선 가게고, 크리스마스 케이크 같은 건 미리 연단위로 예약을 하지 않으면 안 된다던데.”

“요리 스킬 톱랭커가 고급소재를 써서 전 공정 대성공을 뽑아낸 것 정도로 퀄리티가 높은 케이크야.”

“굉장해! 엄청 먹고 싶어!”

“보스전하기 전에 먹죠!”

스테이터스 엄청 오르겠는걸!

보스의 공격 한 방 정도는 더 버틸 수 있을지도!

“……그런 설명으로 괜찮은 걸까?”

“중요한 건 상자가 아니라 내용물이다. 그리고 맛이다. 먹고 확인해보면 된다.”

마스터가 상자를 열었다.

안을 봐도…… 응, 굉장하네…… 정도밖에는 모르겠다.
"맛있을 것 같다는 것밖에 모르겠어요!"
"그러네!"
"분통할 일은 아니지."
마스터가 그런고로, 라고 말하며 눈짓을 보냈다.
그것을 받은 아코는 내 팔을 당기며 말했다.
"여기에요, 여기에요."
나를 쭉쭉 잡아당기며 케이크 앞으로.
건네받은 건 긴 케이크 나이프였다.
"하긴, 이렇게 커다란 건 보통 식칼로는 못 자르겠지."
준비가 투철하네.
내가 자르면 되는 것 같아서 나이프를 들자—.
"……루시안, 잘 부탁드려요."
아코가 양손을 살며시 얹었다.
"엥?"
"그럼, 케이크, 자를게요."
"기다려어어어어어어."
짠~짜짜짜~안.
"뭔가 흐르고 있잖아! 이 결혼식 같은 BGM은 뭐야?!"
"타이틀은 결혼행진곡이다."
곡명을 듣고 싶었던 게 아니야!
"부부의 첫 공동 작업이다냐, 다들 사진촬영을 부탁한다냐."

고양이공주 씨가 사회자 포지션으로!

아니아니, 아코랑 공동 작업은 몇 번이나 했다고!

"축하해, 아코. 축하해."

"잘 됐네. 아코."

두 사람은 친구 역할?!

칼 들고 날뛸 수는 없고, 믿고 있다는 듯이 손을 얹은 아코를 억지로 뿌리칠 수도 없는 노릇이고.

나는 재촉 받은 그대로 천천히 케이크에 나이프를 꽂았다.

결코 위쪽에서 보이는 아코의 가슴에 정신이 팔린 사이에 이야기가 진행된 것이 아니다.

"축하해!"

"메리 크리스마스!"

"뭘 위한 박수야?!"

왜 축복을 받으면서 케이크를 자르는 꼴이 된 거냐고.

"행복한 크리스마스였어요……."

"나를 희생양 삼아서 달성감을 느끼다니……."

"좋은 예행연습이었으니까요."

"실전이 오기 전에 잊어버릴걸."

케이크를 자르기만 했는데 왜 이렇게 지쳐야만 하는 건가.

"자자, 루시안. 케이크 맛있어요."

"스펀지가 굉장히 부드러워! 으음!"

여성진은 행복해 보였다.

다들 즐겁다면야 다행이지만.

"남친과 먹고 싶었다냐……."

아, 고양이공주 씨만 울상이다.

슬프다, 하지만 케이크가 맛있으니까 웃음이 나온다는 듯한, 그런 울면서 웃는 표정으로 우걱우걱 먹고 있었다.

"선생님, 모니터 쓰실래요? 배우 사진 같은 걸 띄워놓고—."

"화면 앞에 케이크를 갖다놓는 건 싫다냐아아아."

이러니저러니 해도 케이크는 켄터키보다 2배 이상 빠른 속도로 줄어들었다.

세테 씨의 켄터키 파티 세트는 아직 열지도 않았지만.

남으면 갖고 돌아가야지.

"후와아, 잘 먹었다 잘 먹었어."

"살찔 거야."

"리얼충은 살이 안 찌는데? 몰랐어?"

"아닛, 리얼충에게는 그런 비겁한 규칙이 있었던 건가요?!"

"……그렇게 나태하게 살고 있는데도 그런 체형인 아코 너도 충분히 비겁해."

너도 그렇고.

"아, 맞다. 게임이라도 할래?"

모두 한숨 돌리던 타이밍에 세테 씨가 말했다.

이러니저러니 해도 질리지 않도록 화제를 제공해주는 모습에서 대인스킬의 차이가 느껴졌다.

"게임 할 거면 컴퓨터 옮길까?"

"……저기 말이야."

내가 묻자 세테 씨가 풀썩 어깨를 떨궜다.

"게임이라는 건 게임기나 컴퓨터만으로 하는 게 아니야! 그것 말고도 게임은 엄청 많다고!"

그렇지만 세테 씨, 여기는 온라인 게임부라고. 보통 온라인 게임이라고 생각하잖아.

"으랏차 대회에서 대전하는 것도 좋을지도."

"화면 너머에서 하게 되잖아. 기왕 얼굴을 마주하고 있으니까 아날로그 게임을 하자."

"뭘 할 거지? 트럼프로 포커라도 할 건가?"

"왜 미팅에서 그런 진검승부를 하는데……."

아키야마가 너무 태클을 걸어서 피곤해하고 있었다.

더 느긋하게 지내지 않으면 안 될 것 같은데요?

"분위기를 더욱 띄울 수 있는 두근두근한 게임을 하자."

"예를 들어 뭘 할까요? 빼빼로 게임?"

"빼빼로를 양쪽에서 먹는 그거?"

그리고 먼저 고개를 돌린 쪽이 진다는 리얼충 전용 같은 게임이다.

해도 상관은 없지만, 승자는 정해진 거나 다름없지 않나?

"확실히 내가 우승할 텐데."

"절대로 손해 보지 않으니까 니시무라가 혼자 이기겠네."

"설령 루시안이 상대라도 나는 물러서지 않을 거다."

"거기서 지기 싫어하는 성격을 내세우지 말아줘!"

"루시안의 귀중한 퍼스트 키스가 마스터에게!"

안 뺏겨.

그리고 마스터, 조금 기쁜 표정 짓지 마.

"젠가나 인생 게임 같은 건?"

"어째서인지 항상 최악의 상황으로 몰아넣는 젠가의 느낌이 거북해요."

"인생이 인생 게임만큼 간단하게 돌아간다면 고생하지 않을 텐데."

"너희들……."

"그렇게 불만만 늘어놓는 너희들에게 내가 제공하는 게임은 이거!"

세테 씨가 그렇게 말하며 여섯 개의 젓가락을 꺼냈다.

끝부분에는 직접 적은 왕관 마크와 숫자가 보였다.

"왕게임! 예~이!"

"호호오."

"마스터, 왕이라는 단어만 보고 반응하는 건 그만둬."

"요컨대 빼빼로 게임이네요!"

너는 나한테 뭘 시킬 셈이야.

"간단히 규칙을 설명하면, 왕관 마크를 뽑은 사람이 왕이고, 숫자를 지정해서 그 사람에게 뭐든 명령할 수 있습니다. 왕의 명령은 절대적입니다."

젓가락을 휘적휘적 섞으면서 설명을 해주었다.

"응. 이론적으로는 알아."

"해본적은 없지만 규칙은 알고 있어요."

"참가한 적은 없다만."

"다들 슬프네……."

시끄러. 누구든 첫 체험은 있는 법이라고! 이게 처음이라도 상관없잖아!

"그럼 바로!"

마크가 그려지지 않은 쪽이 앞으로 내밀어졌다.

다들 하나씩 갖고— 아, 이거 젓가락을 잡을 때 굉장히 거리가 가까워지는구나. 역시 리얼충들의 게임, 세세한 곳까지 포인트를 벌어들이는군!

"왕은 누구냐~!"

확 뽑았다.

내 젓가락에 적힌 건— 크, 2번인가.

왕도 아니고 1번도 아닌, 어중간하게 2번이라는 게 나다워서 조금 화가 났다.

"냐앗!"

젓가락을 뽑고 나서 처음으로 반응한 것은 고양이공주 씨의 고양이귀였다.

저거 뇌파반응식인가?

"내가 왕이다냐!"

고양이공주 씨가 귀를 흔들면서 벌떡 일어섰다.

"처음부터 보스가 나왔네요."

"보스부터 시작되는 타입의 던전인가……."

"악역 같은 소리 하지 말라냐!"

고양이공주 씨는 일어서서 우리를 둘러봤다.

"그럼 명령이다냐! 번호는 1번에서 5번!"

다섯 명 전원?!

선생님은 전율하는 우리를 보며 단호하게 말했다.

"겨울방학 숙제는 현대국어부터 하렴."

"그건 왕게임이 아니야!"

담임교사 게임이라고!

"독서 감상문은 라이트노벨로 해도 괜찮아."

"그런 문제가 아니라……."

"그보다 나중 일에 대한 명령은 안 돼요!"

룰북인 세테 씨에게서 NG가 날아왔다.

"냐아…… 어쩔 수 없다냐."

분위기가 다운되는 건 미안하다고 생각한 건지 선생님은 조금 고민하면서 말했다.

"그럼 2번 사람!"

불려서 무심코 움찔했다.

내가, 내가 대체 뭘 당하게 되는 거지?!

"모두 앞에서 인생 최대의 흑역사를 발표하는 거다냐!"

"오, 오오……."

제대로 된 명령에 소란이 일어났다.

"이건 빡세네……."

"첫 번째부터 지나친 것 아닌가, 사이토 교사……!"

"저희는 흑역사가 많은 인생을 걷고 있으니까요."

"그런데 2번은?"

질문이 나왔기에 나는 손을 들었다.

"2번은 나다!"

또다시 오오, 라는 수수께끼의 환성이 들렸다.

왠지 이 분위기가 즐거워졌다.

"루시안의 흑역사는 뭔데?"

"나는…… 나는, 나는 과거에……."

나는 목소리에 등을 떠밀린 것처럼 강하게 외쳤다.

"사이토 선생님한테 프러포즈한 적이 있습니다!"

"냐아아아아아?!"

가장 깜짝 놀란 건 고양이공주 씨였다.

"에에에엑?!"

그리고 두 번째로 놀란 것이 세테 씨였다.

"교사와 학생의 사랑?! 게다가 바람?! 짓무른 관계?!"

"아, 아니다냐아아아아아아아! 게임 속 이야기다냐!"

"게다가 넷카마라고 하는 바람에 차였고!"

"우냐아아아아아아!"

"그런데다 그것도 거짓말이었다는 흑역사가!"

"미안하다냐아아아."

내가 머리를 감싸 쥐자 선생님도 머리를 감싸 쥐었다.

해냈어. 명령한 왕까지 쓰러트리는 자폭공격.

"C4 돌격은 그만두라고."

자폭특공은 강하다.

"루시안의 첫 프러포즈를 빼앗겼다고 생각하면, 역시 지금이라도 늦지 않은 게 아닌가 싶은 기분이 들어요."

"아코 너 뭐해?!"

케이크 나이프 내려놔! 그거 길다고! 위험하단 말이야!

"선생님한테 칼을 대서 어쩔 거야."

"한 방만 날리는 거라면 오사(誤射) 취급 해줄지도 몰라요."

"고양이공주 씨의 목숨은 0이다냐! 컨티뉴는 못한다냐!"

"현실 수라장이 이런 곳에 있었다니!"

눈을 빛내며 사진 찍지 말고 멈춰줘!

"수라장 나우."

세테 씨의 트위터가 타오르고 있어!

왜 처음부터 이런 꼴이!

"그럼 두 번째 갈게!"

케이크 나이프는 엄중하게 격리하고 두 번째 왕 초이스!

뽑은 젓가락에는— 왕관이!

"내가 왕이다!"

"오오!"

그러니까 왜 소란스러운데.

나한테 뭘 기대하는 거야?

"말해두지만 내 명령은 무시무시할 거야!"

"우와, 니시무라한테서 무슨 변태적인 명령이 나올지 무섭네에~."

"국어책 읽기 수준의 레벨 아냐?"

세가와 머릿속의 나는 대체 얼마나 안전한 거야?

내가 야한 명령을 내릴지도 모르건만.

"그럼 뭘 하면 될까요?"

아코가 눈을 반짝반짝 빛내면서 괜스레 고개를 내밀었다.

너는 그저 나한테 명령을 받고 싶은 거겠지.

"자, 언제라도 와라."

당신도 마찬가집니까. 마스터.

"자, 그럼 무시무시한 명령이라는 건 뭘까~?"

세테 씨는 히죽히죽 여유로운 표정이다.

두고 보자, 너희들! 그 히죽거리는 표정을 딱딱하게 만들어주마!

"그럼 2번!"

움찔 반응한 건 세테 씨.

"칫."

야, 아코. 너 왜 지금 혀를 찼어.

내가 눈치챈 걸 깨달았는지 세테 씨는 양손을 꼬옥 쥐며 말했다.

"뭐든 상관없어! 하지만 아코가 화낼만한 건 봐줘!"

그건 나도 싫으니까 괜찮습니다.

"벗으라는 명령도 세 번까지라면 할 수 있어!"

"양말은 금지야, 나나코."

"팬티부터 먼저 벗으라는 거야?!"

"아니, 벗으라고는 안 할 거거든."

그런 명령은 하지 않습니다. 하고 싶지만 나중이 무섭거든요.

"자, 각오해라!"

척 삿대질을 하며 말했다.

"너는! 지금 이 자리에서!"

세테 씨의 하얀 목울대가 꿀꺽 울렸다.

그리고 나는 명령을 선고했다.

"켄터키 치킨을 하나 먹어라!"

—.

잠시 침묵이 흘렀다.

그리고 세테 씨가 툭 중얼거렸다.

"……식었는데."

"왕의 명령은 절대적!"

"네~에……."

세테 씨는 완벽하게 딱딱해진 표정으로 질색하면서 차가운 치킨에 손을 뻗었다.

"……명령, 무시무시하네."

그러니까 무시무시하다고 했잖아.

그보다 남았다고. 너희들도 먹어.

"세 번째 간다~!"

세테 씨가 기름투성이 손을 닦으면서 젓가락을 내밀었다.

"왕은 누구냐~!"

말하기가 무섭게 내 인생에 봄이 왔다! 라는 듯이 일어섰다.

"나야!"

그렇게 기뻐하지 않아도 될 것 같은데 승리의 포즈까지 잡고 있었다.

"지금부터야. 지금부터 올바른 왕게임으로 돌아갈 거야!"

"지금까지가 이상했다는 말투네요."

"즐거웠는데."

"치킨은 이제 필요 없다고!"

자기가 사왔는데도 말입니까.

"그럼 명령 갑니다~."

세테 씨는 왕관 마크가 적힌 젓가락을 들고는 잘 울리는 목소리로 말했다.

"1번 2번 3번 4번 5번!"

"전원이라……."

"뭘 시킬 셈이냐?"

두근두근 지켜보는 우리 앞에서 세테 씨가 단호하게 말했다.

"명령은— 앞으로 왕을 이름으로 부를 것!"

뭐야 그 명령?!

어, 잠깐, 그거 규칙상 가능하긴 해?!

"애초에 나는 평소 이름으로 부르는데."

"아, 아카네는 오케이네."

면제 치사해!

아니, 그보다 이상하잖아!

"나중 일에 대한 명령은 안 되는 거 아니었어!?"

"그치만 다들 줄곧 남처럼 대하잖아!"

그렇지 않다니까. 동료잖아.

"다들 이름으로 부르는데 나만 성으로 부르는 거, 조금 상처받는다고. 봐, 아코라든가."

"여자를 이름으로 부르다니, 부끄러워요……."

"아코도 여자잖아!"

부끄러움을 잘 타는 남자 같은 소리를…….

"자, 말해줘! 나나코, 자!"

"……나, 나나……."

스읍 숨을 들이쉬고는.

"나나시 씨!"

"어디 게시판이야?!"

그쪽이라면 말할 수 있구나.

응. 말할 수 있지. 언제나 말하고 있으니까.

"나나코 씨@언젠가는 대규모……."

"나나코의 모험가……."[#11]

"우와아아아아아아앙."

아아, 개그 소재로 써버리니까 울고 말았네.

"그치만 아코니까 말이지. 어려워."

"그럼 노력을 목표로. 다른 선생님 앞에서나 세테라고 부를 수 없을 때는 노력해줘."

"네에."

세테 씨는 그럼 다음이라며 마스터를 바라봤다.

"회장님도!"

"애초에 나부터 이름으로 불리지 않는다는 불합리한—."

"쿄우 선배!"

"뭔가, 나나코 군!"

쉽잖아!

#11 나나코의 모험가 일본의 익명 커뮤니티 사이트 2ch에서는 이용자를 나나시 씨(무명 씨)라고 표기한다. 그것에서 파생되어 수많은 패러디가 존재한다.

역대 최고로 손쉽게 넘어갔어, 이 마스터!

"선배…… 선배라…… 이 얼마나 감미로운 단어인가……."

"그걸로 괜찮아……? 괜찮은 거야……?"

"어차피 남들 앞에서만 하면 된다. 평소에는 세테지."

"그러네요."

쓴웃음을 짓고 다음은 선생님을 가리켰다.

"선생님도!"

"뭐, 우리 반 아이니까 나나코라고 불러도 상관은 없지만……."

"해냈다! 유이 선생님!"

세테 씨는 기쁜 듯이 말했지만, 선생님은 싱긋 웃으며 대답했다.

"선생님은 성으로 부르렴?"

"……네에."

아쉬워 보인다.

그리고 마지막은…… 나?

"니시무라 이름은 뭐였더라?"

"이름 말입니까? 히데키입니다만."

"흠흠. 그럼 히데군."

"스톱스톱스톱!"

느닷없이 별명까지 지어버렸어?!

놀라서 마시던 걸 흘릴 뻔 했잖아!

"나도 나나코라고 불러도 돼! 남자들도 꽤 부르거든!"

"세가와나 마스터도 이름으로 부르지 않는데 아키야마만 이름으로 부르는 건 조금……."

저항해봤지만 게슴츠레한 시선이 돌아왔다.

"그거! 나, 그런 건 좋지 않다고 생각해!"

"어, 어느 거?"

세테 씨는 나 화내고 있습니다, 울컥울컥, 이라는 어필을 하며 말했다.

"그런 말투면, 나는 아카네보다 랭크가 밑입니다, 라는 느낌이 들잖아! 굉장히 실례야!"

"아…… 확실히."

"오타쿠의 나쁜 버릇이야. 뭐든지 순위를 매기는 거. 이번 분기의 신부 랭킹 같은 소리 하는 거 말이야. 그리고 넘을 수 없는 벽이라고 말하는 거."

"아아, 그런 거 자주 있죠."

느긋하게 말하던 아코에게 단호한 대답이 날아왔다.

"있으면 안 돼! 인간관계는 숫자가 아니니까! 순위를 매기는 건 점수를 매기는 거나 마찬가지란 말이야!"

확실히 엄청난 실례일지도 모른다.

그렇구나. 그럼 나도 그런 생각은 하지 말고—.

"잠깐 기다려."

어째서인지 미묘하게 짜증나 보이는 세가와가 나서더니—.

"나는 성으로 부르는데 나나코는 이름으로 부르다니, 그건 조금 납득 안가!"

그런 소리를 내뱉었다!

"잠깐, 아카네?! 그런 랭크 붙이는 건 싫어했잖아?!"

"나나코에게 유감은 없지만! 이 녀석 머릿속에서 나나코 이하의 랭크로 들어가는 건 왠지 싫어! 그건 이상해!"

"그럼 아카네도 이름으로 불러달라고 하면 되잖아!"

"뭐?! 절대로 싫어!"

이 녀석 논리가 엉망진창이야!

"이것이 여자끼리의 싸움이라는 건가……."

"내버려뒀다간 캣파이트도 머지않겠네."

"무섭네요."

왜 느긋하게 관전하는데?!

이런 아무도 이득보지 않는 이상한 싸움을 누가 좀 막아줘!

"그보다 아코 넌 왜 그렇게 여유로운 표정인데?"

"네?"

놀란 표정의 아코가 신부력으로 가득한 미소와 함께 말했다.

"그치만 루시안이 이름으로 부르는 건 저뿐이잖아요!"

"……그렇구나."

그러네. 그 말이 맞아.

좋아. 정했다. 이걸로 가자.

"그렇게 됐으니까!"

나는 큰소리로 두 사람의 주목을 끈 뒤에 말했다.

"나는 아코만 이름으로 부르겠습니다! 불평은 듣지 않겠습니다!"

"……우, 어쩔 수 없네."

아키야마는 신음했고.

"그게 좋겠어!"

세가와는 납득한 것 같았다.

"이거구나. 으음, 조금 알게 된 것 같아."

왠지 분한 듯이 말하는데.

"여친 있는 사람은 이렇게 인기를 모으는 거구나."

"무슨 의미입니까."

"그냥."

그녀는 훗 하고 웃고는 의자에 앉았다.

"아코가 부럽구나~ 싶어서."

††† ††† †††

"적당히 흥겨워졌으니 다음으로 가자."

마스터가 그렇게 말하며 커다란 포장을 꺼냈다.

"두 번째 이벤트. 선물교환회다!"

맞아 맞아. 그런 이벤트도 있었지.

제대로 이걸 위한 선물을 사놨다.

그 무한 닥돌 때 산 녀석이지!

"전부 준비는 됐겠지?"

"있긴 하지만…… 마스터 거 엄청 크지 않아? 예산에 맞춘 거 맞아?"

금액이 너무 비싸면 문제이므로 현대통신전자 유희부 선물교환회의 예산은 3천 엔이다. 그걸 넘은 자는 무시무시한 벌칙이 기다린다. 또한 벌칙 내용은 미정이다.

"오히려 아카네의 선물이 너무 작지 않아?"

"작다고나 할까…… 얇네?"

"괜찮아. 가격에는 맞췄으니까."

종이 한 장 정도의 사이즈다.

무슨 티켓인가?

"그럼 음악에 맞춰서 선물을 옆사람에게 돌리자. 노래가 멈췄을 때 가진 것이 자기 선물이다."

"네~에."

"음악 간다냐."

BGM이 흐르기 시작했다.

오오, 엄청 많이 들어본 클래식 음악!

이건 조금 전 케이크 커팅 때 흐르던 녀석!

"결혼행진곡은 그만둬!"

"이거밖에 없으니까 포기하라냐."

"왜 다른 걸 준비하지 않은 거야?!"

"됐으니까 빨리 돌리라고."

왠지 멍한 표정의 아코에게 선물을 건네주고, 세가와에게서 건네받았다.

선물이 빙글빙글 돌아갔다.

"여기서 셔플!"

"에에에에엑?!"

세테 씨의 독단과 편견에 따른 셔플도 진행됐고, 이제 누구 게 어디 있는지 모르게 되었다.

그리고 짜자자자~안 하고 곡의 분위기가 고조될 즈음해서 딱 멈췄다.

"그럼 선물 개봉이다. 누구부터 열 거냐?"

"내가 받은 커다란 거부터 열어도 돼?"

"그럼 슈바인부터다."

마스터의 커다란 봉투에 당첨된 세가와가 흥흥 콧노래를 흥얼거리며 포장을 뜯었다.

설마 마스터의 선물에 꽝이 나오진 않겠지— 라는 예상과는 대조적으로.

"……뭐야 이거."

들어있던 건 과자, 대량의 과자였다.

구체적으로 말하자면 몇 백 개는 있을 것 같은 막대기형 과자였다!

"우메에봉 300개다. 축하한다 슈바인!"

"축하해!"

"맛있을 것 같아요!"

"잠깐 기다려어!"

세가와가 스톱을 외쳤다.

"뭐야 이거?! 왜 우메에봉?! 이상하잖아?!"

"그렇지 않다. 이건 내가 보내는 메시지다."

마스터가 진심으로 즐겁다는 듯이 말했다.

"내가 미티어를 쏠 때마다 이걸 하나 먹어다오. 그게 내 힘의 원천이다."

"1회용 대미지 부스트랑 같은 가격이라는 거네……."

어떻게 갖고 돌아가지…… 세가와는 그렇게 중얼거리며 우메에봉의 산을 정리했다.

"그럼 건네준 사람이 받은 선물을 열어보도록 할까. 내가 받은 걸 열어보마."

손바닥 사이즈의 선물을 받은 마스터가 봉투를 풀자 그곳에는 한 권의 책이 들어있었다.

"아, 그건 내가 준비한 거다냐. 시험에 자주 나오는 에세이집이다냐. 읽어두면 꼭 도움이 될 거다냐."

"학습 자료는 그만둬주세요!"

"이, 읽기에도 재미있다냐! 추천하는 거다냐!"

"이건 공부가 되겠군. 좋은 선물 고맙습니다. 사이토 교사."

"나아."

으, 응. 좋아해주는 사람한테 가서 잘 됐네.

"그럼 내가 받은 것도 열겠다냐. 이건…… 봉제인형? 아니, 손뜨개 인형인가냐?"

"그건 제 거에요~."

아코가 저요저요 하고 손을 들었다.

고양이공주 씨의 손에 올려져 있는 것은 털실을 짜서 만든 봉제인형 같은 것이었다.

푸른 타원형이고, 붉은 눈이 달려있었다.

"포포포와링 손뜨개 인형이에요. 소중히 대해주세요."

"귀엽다냐!"

"……의, 의외로 괜찮게 만들었네…… 직접 만들었어?"

세가와가 손뜨개 인형을 뚫어져라 살피면서 물었다.

"네. 뜨개질로 만들었어요."

"……너 손재주가 없는데도 이런 건 잘 만드네."

"재봉 스킬을 올렸다고 했잖아요."

"현실에서?!"

게임이 아니라 현실에서도 올렸을 줄이야. 예상 밖이었다.

"그치만 신부라면 뜨개질 아닌가요?"

"신부가 되기 위한 노력만큼은 빼먹지 않는구나……."

"이거 간단하던데요? 형태도 단순해서 한 시간 정도면 만들어요."

발언에서 상당한 숙련자라는 것이 느껴졌다.

내 신부는 정말로 부분적으로는 얕볼 수가 없다니까.

"그럼 제가 받은 걸 열게요. 어어…… 이건 뭔가요? 양초?"

"캔들!"

소리를 높인 것은 세테 씨였다.

"아로마 캔들이야. 오렌지랑 벌꿀향! 편안해질 거야."

"……아로마 캔들이라는 말에서 솟구치는 리얼충 냄새가 저를 좀먹고 있어요……."

"기뻐해줘!"

"아하하, 감사합니다."

역시 농담이었는지 아코는 제대로 고개를 숙였다.

"그럼 내가 받은 건…… 어어, 뭐지? 이거 귀엽네."

"아, 그건 내 거야. 스마트폰 스탠드."

내가 넣은 녀석이었다.

동물을 모티브로 한 스마트폰 스탠드. 세테 씨의 손에 들어간 지금 보니 왠지 조금 무땅과 비슷했다.

확실하게 나를 제외한 여자가 받을 것 같아서 귀여운 장식이 있는 실용품을 골랐다.

"스마트폰을 놓거나, 휴대전화로 사진을 찍을 때 쓰는 거야. 기울기를 조절할 수 있거든."

"아아, 그렇구나. 그럼 모두 함께 사진 찍자!"

세테 씨의 휴대전화가 무땅의 등에 장착되고, 카메라가

이쪽을 바라봤다.

모두 모여서 카메라를 마주 봤다.

"잠깐, 다들 가깝잖아!"

"가까이 붙지 않으면 못 찍는데?"

그렇긴 하지만! 가까운 건 어쩔 수 없지만! 산타 복장이 좋지 않아!

"3~ 2~ 1~ 자, 치~즈!"

찰칵 플래시가 빛나며 산타 소녀들 속에 집사가 들어간 영문 모를 사진이 나왔다.

하지만 왠지 좋네. 이런 바보 같은 느낌.

분명 추억이 될 거야.

"그럼 이 사진 보낼 테니까 다들 라인 가르쳐줘. 아코랑 니시무라도."

"치사해요!"

아직도 포기하지 않았던 거냐!

"어어, 사진은 둘째 치더라도 내가 받은 걸 열어보자. 마지막이니까."

"내 거네."

남은 건 세가와 것밖에 없었다.

그리고, 뭔가 종이가 들어있는 것 같은 봉투를 열자—.

"……뭐든지 소원을 들어주는 티켓— 슈바인 님."

"굉장하지! 3천 엔의 가치는 확실히 있을 거야!"

세가와는 흐흥, 하고 가슴을 폈다.

가슴을 편 뒤, 천천히 숙였고, 작아지더니, 조그맣게 말했다.

"……미안. 컴퓨터 살 돈 모으는 중이라……."

없는 건 어쩔 수 없다. 딱히 마음에 안 드는 것도 아니다. 여자아이용 아이템을 받는 것보다는 재미있기도 하니까.

그저 발상이 아코랑 똑같은 레벨이었던 것뿐.

"하지만 곤란하네. 니시무라한테는 안 갈 거라고 생각했는데, 남자에게 넘어가다니…… 혹시 그 티켓으로 나를 난폭하게 대할 생각은 아니겠지!"

"그 동인처럼!"

"그 동인처럼!"

아코와 마스터가 장난을 치기 시작했다!

"그 이야기, 최근에 한 것 같은데!"

"힘내라, 힘내라."

세테 씨 그거 다른 동인이거든요! 게다가 그것도 전에 한 거고!

"아니, 솔직히 누가 세가와한테 에로한 짓을 부탁하겠냐."

"앙? 뭐야, 시비 거는 거야?"

자기가 먼저 말한 주제에 부정하니까 화내고, 대체 뭐야.

하지만 아니다. 분명 세가와가 생각하는 것과는 정말 다르다.

"아니라니까. 저기 말이야. 이건 진지한 이야기인데."

나는 진지하게 세가와를 바라보며 진심을 담아 말했다.

“세가와는 소중한 동료고, 믿음직한 파트너야. 물론 현실에서도 신뢰하고 있고, 귀여운 여자아이라고 생각해. 굉장히 매력적이야.”

“……어, 고, 고마워?”

“………….”

세가와는 곤혹스러워하고, 아코가 케이크 나이프를 가지러 갔다. 잠깐, 누가 아코 좀 막아줘.

본론은 그게 아니야. 지금부터라고.

“하지만, 그러나!”

힘을 꽉 주고, 단호하게 말했다.

“너를 야릇한 눈으로 본 적은 정말, 완전, 단 한 번도 없으니까 괜찮아!”

“알았어. 서로 죽고 죽이고 싶다는 거네. 내가 죽을지 네가 죽을지 결판을 내자고.”

왜 화내는 거야?!

세가와가 미소를 지으며 나와 붙으려고 하는데?!

“진정해 아카네! 죽이는 건 안 돼!”

죽이는 것 말고도 안 된다고!

“그, 그렇게 화낼 것까지는 없잖아?! 내가 에로한 시선으로 보는 편이 더 싫지 않아?”

“싫지만! 조금도 없다는 게 더 열 받아!”

퍽퍽 책상을 두들겨댄다.

"뭐야, 가슴?! 가슴이 없는 게 그렇게 잘못이야?! 그래서 내 랭크는 나나코보다 낮은 거야?!"

아직도 그 이야기를 질질 끌고 있어?!

"아직 모르잖아, 지금부터니까! 앞으로 커질지도 모르잖아!"

"여성의 가슴 성장은 주로 열다섯 살까지가 메인이라고 들었다만."

"고쇼인?! 그건 지금 말하면 안 되는 지식이다냐!"

"나한테서 미래까지 빼앗다니이이이이이."

"진정해요, 진정해요 슈!"

"남이 화내고 있을 때 산만한 가슴 내밀지 말라고 아코! 밀어버릴 거야!"

"뭔가요 그 분노는?!"

"알았어. 내가 미안해! 이 티켓 쓸 테니까 진정해!"

"이런 바보 같은 일에 쓰이는 게 더 열 받아!"

불합리해!

"이게 무슨 꼴이야……."

"마음의 상처를 입은 건 오히려 나야……."

슬픔으로 가득했던 선물교환이 끝났다.

이제 꽤나 시간도 경과했다. 슬슬 마지막 이벤트인가.

"그럼 마지막 이벤트로 들어갈까. 『대고백대회』— 였던가."

"구체적으로 뭘 하는데?"

"모른다. LA에서는 현재 개최 중일 텐데."

"보고 올까요?"

아코가 방 한구석으로 밀어냈던 컴퓨터 전원을 켰다.

약간의 구동음과 함께 모니터가 켜졌다.

아코의 캐릭터가 로그인하자 마침 첫 번째 이벤트에서 썼던 파티 단상에서 『대고백대회』가 열리고 있었다.

◆디 : 미안, 나, 지금까지 니트였다고 했었는데.

◆디 : 실은, 그냥 회사원이었어!

◆카보땅 : 너, 너, 니트라고 했었잖아!

◆디 : 거짓말이었어…… 미안.

◆디 : 그보다 진짜로 니트일 리가 없잖아ㅋㅋ 멍청아ㅋㅋㅋ

◆카보땅 : 배신했구나! 나의 우정을 배신했구나아아아아!

◆디 : 아니, 멋대로 착각했을 뿐이잖아ㅋㅋㅋ

"……슬픈 고백이 벌어지고 있네."

아니, 왠지 즐거워 보이는데?

저런 말을 할 수 있는 녀석들은 분명 사이가 좋을 거야.

"요컨대 사랑의 고백이든 죄의 고백이든 아무튼 지금까지 말하지 못했던 이런저런 거를 말해보자는 이벤트인가."

"LA의 이번 이벤트는 철저하게 커뮤니티 관련이네."

"솔로를 줄이고 싶은 거겠지."

응응, 고개를 끄덕였다.

"그럼 우리도 뭔가 자백하면 되는 거야?"

"자백이라니, 죄인도 아니고."

"…………."

이야기를 나누고 있는 우리 뒤에서 아코는 줄곧 게임 화면을 보고 있었다.

눈을 떼지 않고, 줄곧.

"아코, 왜 그래?"

"아, 아뇨."

힐끔 본 화면에는 IM이 열려 있었다.

슈슈가 보낸 IM이다. 개인적인 인스턴트 메일.

새로운 건 없으므로 분명 예전에 보낸 로그일 것이다.

"슈슈한테서 왔던 거야?"

"네. 예전 거지만요."

"그런 걸 남겨두고 있었어? 싫은 일이 떠오른다면 지우는 편이 낫지 않아?"

"괜찮아요."

아코는 그렇게 말하며 화면을 닫았다.

하지만 그대로, 뭔가 고민하듯이 움직이지 않았다.

"……역시, 착각, 인 건가요……."

"왜 그래?

"아무것도 아니에요."

영차, 하고 일어선 아코는 원래 자리로 돌아왔다.

하지만 왠지 모르게, 우리한테서 거리를 두고 앉은 듯한, 그런 느낌이 들었다.

"뭘 고백할 건데? 고백할 게 있는 사람~."

"저요~ 라고 할 사람은 없겠지."

세테 씨는 웃었지만, 세가와는 힐끔 아코를 보며 말했다.

"그래? 언제라도 고백하고 싶은 마음으로 가득한 애도 있을지도 모르잖아? 그치? 아코."

질문을 받은 아코는 놀라서 눈을 동그랗게 떴다.

"네…… 저 말인가요?"

"고백하고 싶은 거, 없어?"

"아뇨, 별로……."

"……어, 정말?"

세가와는 이상하네, 라고 작게 중얼거리며 고개를 갸웃했다.

하긴, 평소 아코라면 이때다 하고 사랑고백을 했을 것 같은데— 아니, 이런 식으로 생각하는 건 아무리 그래도 너무 우쭐대는 것 같다.

오히려 내가 해야 할 정도고…….

"그럼 어쩔래? 고백대회는 그만?"

"아니, 내가 참가하지."

마스터가 일어서서 화이트보드 앞까지 걸어왔다.

"뭔가 고백하고 싶은 거라도 있어?"

"음."

마스터가 진지한 표정으로 말하자 왠지 모르게 우리들까지 긴장됐다.

설마 오늘부로 폐부합니다! 라거나, 그런 건 아니겠지?

"그럼, 고백 타임이다냐!"

"결혼행진곡 틀지 말아주세요!"

BGM은 중지.

고양이공주 씨는 냥냥거리면서 BGM을 멈췄지만—.

"그럼, 고백할 상대는 사이토 교사입니다."

"냐앗?!"

마스터의 지명을 받아서 움찔 굳어졌다.

뭐야뭐야, 같은 표정으로 두리번두리번 거린다.

"선생님께 줄곧 드리고 싶은 말이 있었습니다."

"……뭐니?"

선생님은 조심조심 고양이귀를 벗으며 물었다.

마스터는 답변으로 푹 고개를 숙였다.

"—그동안 죄송했습니다."

"응?"

선생님이 놀랐다.

"고문을 의뢰했을 때부터 줄곧 마음에 걸렸습니다. 저희들만을 위해 선생님 입장도 생각하지 않은 채 억지로 시간을 뺏고, 힘을 빌린 것을 죄송하다고 생각하고 있었습니다."
"아아…… 하긴. 처음에는 억지로 고문을 맡았었지."
선생님은 지금 떠올랐다는 듯이 허공에 시선을 던졌다.
벌써 반년 이상 지난 일이다.
"지금까지 줄곧, 정말로 폐를 끼쳤습니다."
"……그런 걸 신경 쓰고 있었니?"
선생님은 별 수 없다는 듯이 어깨를 으쓱하고는 마스터의 머리에 손을 얹었다.
"아이들이 어른에게 폐를 끼치는 건 당연한 일이니까, 신경 쓸 필요 없단다."
그리고는 착하지착하지, 라는 듯이 그대로 천천히 쓰다듬었다.
"아직 부족할 정도야. 좀 더 내게 폐를 끼치면서 즐겁게 지내렴. 어린 시절에는 그게 좋아."
그리고 말이지, 라며 선생님은 말을 이었다.
"이래 봬도 선생님도 즐기고 있다냐."
"……감사합니다."
얼굴은 보이지 않았지만, 마스터는 조금 울먹이는 목소리였다.
"사제관계라는 느낌이네……."
"그보다 선생님은 언제나 그런 느낌이니까 신자가 늘어나는 거라고요."

"냐아아아아아앗?!"

이 사람, 기본적으로 멋있단 말이지.

그래서 친위대에는 상당한 숫자의 여캐도 존재한다고.

"다, 다른 부끄러운 사실을 공개하고 싶은 사람 없는가!"

마스터가 또다른 희생자를 요구했다.

그런 녀석이 있겠냐고.

"우우…… 나, 나!"

있다!

설마 하던 세가와가 입후보했다!

"어?! 아카네는 누구한테 고백할 건데?"

두근두근하며 물어본 아키야마와 얼굴을 마주 본 세가와가 말했다.

"나나코한테."

"어…… 나?!"

아키야마가 까가앙~ 하고 오버 리액션으로 쇼크를 표현했다.

"설마 하던 크레이지 사이코 레즈."

"레즈 특유의 트윈테일."

"레즈, 트윈테일이 됩니다."

"트윈테일의 평판 피해는 그만둬!"

어흠, 헛기침을 한 세가와는 아키야마를 돌아봤다.

"저기, 있지. 꽤나 예전부터 하고 싶었던 말인데."

"응."

뭘까, 이 두근두근한 느낌. 눈앞에서 고백을 보는 것 같았다.

아니, 실제로 그렇지만.

"저기…… 고마워."

"……응? 뭐가?"

아키야마가 의문부호를 띄우자 세가와는 얼버무리듯이 뺨을 매만지며 말했다.

"이렇게 게임만 하고, 온라인 게임 안에서는 이 몸이라고 말하는 걸 들켰는데, 전혀 비웃지 않고…… 아무한테도 말하지 않고…… 같이 놀아줘서."

아하하, 하고 목소리만큼은 쾌활하게 웃으며.

"나나코한테 들켰을 때, 이제 다 틀렸다고 생각했었으니까."

그렇게 말하면서 고개를 숙였다.

"그러니까 정말로 감사하고 있어. 고마워."

"아, 아카네!"

아키야마는 머리까지 통째로 꼬옥 안아주겠다는 듯이 달려들며 말했다.

"당연하잖아. 절친인걸!"

"나나코……."

좋구나~.

세가와, 잠깐 교대하자, 라고 생각한 건 비밀입니다.

"대단한 우정이로군."

"청춘이다냐……."
"그리고 우정은 언젠가 사랑으로."
"그런 흐름은 이제 그만둬."
"죄송합니다."
조금 겸연쩍어서 장난 좀 쳤을 뿐이야.
왠지 좋네. 이런 솔직한 마음을 토로하는 거.
조금 촌스럽고, 조금 멋있고, 굉장히 부럽다.
그리고 얼싸안던 두 사람이 떨어졌을 때—.
"루시안하고 아코는 없어?"
갑자기 세가와가 물었다.
"나는……"
입을 우물거리며 아코를 봤다.
아코는 약간 고민하듯이 눈을 감고는 고개를 내저었다.
"저는, 딱히…… 루시안한테 숨기는 일 같은 것도 없고요."
"……그래?"
거짓말 하지 마 인마! 라고 말하고 싶어지는 표정이었다.
이런 표정, 몇 번 봤다.
직결한테 채팅이 왔을 때, 스토커에게 편지가 왔을 때. 데이트하러 간 그날.
아무것도 아니라고 말하면서도도 줄곧 그런 표정이었다.
"—나는 있어."
그래서 내가 대신해서 그렇게 말했다.

"있어?!"

"오오, 뭔데뭔데?"

"비밀!"

그리고 즉답했다.

뭐든 다 이야기해줄 거라고 생각하지 말라고, 바보들아! 후하하하하!

"……너 말이야."

"죄송합니다."

제가 바보였습니다, 사과할 테니까 그 때려죽인다 스마일은 그만둬주세요.

"돌아가면서, 아코랑 둘만 있을 때 말해주려고 생각하거든."

"치사해!"

"치사하지 않아!"

"분위기를 읽어줘라, 너희들."

"쿄우 선배한테 분위기를 읽으라는 말을 듣다니!"

"어째서 쇼크를 받는 거냐?!"

한바탕 웃어넘긴 뒤에 마스터가 말했다.

"슬슬 차가 마중을 나오겠군. 전철 시간도 다 됐다. 파티는 끝이다. 정리를 하자."

아주 약간의 여운만을 남긴 채 파티는 끝났다.

……치킨. 어쩌지.

††† ††† †††

"차가 마중 나왔다. 함께 타고 돌아갈 사람 있나?"

"저것이…… 진짜 롤스……."

"부자라는 느낌!"

아아, 하지만 아코가 한 말도 이해가 간다.

멀리서 보면 평범한 차라는 느낌이었다. 나는 잘 모르겠어.

"마중이라고 하긴 했지만, 정말로 친구가 있는지 걱정한 게 아닌가 하고 의심하는 중이다만."

"선생님이 인사를 해줄게."

"부탁드립니다."

슬픈 이유가 있는 모양이었다.

"그런 거라면 같이 타고 갈까? 역까지 보내준다면 무척 고마운데."

"나도 탈래탈래!"

"선생님은 차로 왔으니까 인사만 하고 돌아갈게. 다들 조심해서 돌아가렴."

"네~에. 그럼 다들 내년에…… 아니, 나중에 보자."

"나중에 봐."

"레벨 올려야지~."

모두에게 인사를 하고 옆에 있던 아코의 어깨를 두드렸다.

약간 닿은 것만으로도 아코가 움찔 나에게서 거리를 벌렸다.

"아코, 돌아가자."

"……네. 가요."

차가 떠났다.

나란히 배웅하고 나서 천천히 걸어갔다.

크리스마스 밤에 둘이서 돌아가는 건데도 아코는 들뜬 모습이 전혀 없었다.

나와 아코의 거리도 평소보다 조금 멀다.

머플러 끝이 닿지 않을 정도의 거리다.

뚜벅뚜벅 걸었다.

익숙한 길은 짧게 느껴져서, 눈 깜빡할 사이에 바로 끝나버릴 것 같았다.

"야, 아코."

"네?"

그래서 지나가는 길에 있던 공원을 가리키며 물어봤다.

"이런 시간이지만, 들렀다 갈까?"

예전에 내가 옥쇄했던, 그 공원이었다.

"오, 생각보다 예쁘네."

"그러네요."

마을 기획이었는지, 이 공원의 나무에는 일루미네이션 장식이 달려 있었다.

모든 나무들이 크리스마스 트리처럼 빛나서 인도를 비추

고 있었다.

"예쁘네."

"그러네요."

"분위기 좋네. 정말."

"그러게요."

"아코랑 함께 봐서 다행이야."

"저도 그래요."

"…………."

저기, 조금 더 리액션이 있어야 하지 않아?

이런 좋은 분위기를 가진, 더할 나위 없는 곳인데도 아코는 고개를 숙이고 왠지 풀죽은 것처럼 보였다. 정말로, 아코답지 않았다.

그때, 겨우 목적한 곳에 도착했다.

"있잖아, 아코. 여기 기억나? 내가 아코에게 고백했던 곳인데."

"……고백?"

단조로운 목소리에 겨우 감정이 돌아왔다.

아코는 조금 몸을 떨더니 나를 올려다보며 말했다.

"아아, 루시안한테서 연인으로 돌아가자는 말을 들었던, 그 무시무시한 곳이네요……."

"돌아간다는 말투는 좀 그렇지만, 내 나름대로 호의를 표현하려고 했었어."

나는 그렇게 웃으며 말을 이었다.

"뭐, 그런 트라우마가 있는 곳이니까, 빨리 해소하고 싶거든."

"해소라뇨?"

가방에서 작은 포장물을 꺼냈다.

고백— 이라고 할 수 있을지는 모르겠지만, 이걸 하지 않으면 나의 오늘은 끝나지 않는다.

"아코, 손 내밀어봐."

"네, 네."

의아해하는 아코의 손바닥 위에 포장물을 살포시 올려놓았다.

"메리 크리스마스."

내가 말했지만 닭살이 돋았다.

아무리 그래도 이건 좀 아니지! 너무 느끼하잖아!

"……저기, 루시안. 왜 부들거리나요?"

"잠깐 흑역사가 하나 늘어나서…… 신경 쓰지 마……."

잊자. 잊어버리자.

"아무튼 간에, 크리스마스 선물이야."

"받아도 되나요?"

"받아주지 않으면 울 것 같은데."

"울지 마세요. 기쁘니까요."

그러냐. 기쁘냐.

무한 닥돌이 헛수고가 되지 않아서 정말로 다행이다.

"뜯어봐도 되나요?"

그럼그럼, 하고 대답하자 아코는 세심하게 포장을 뜯었다.

안쪽 상자를 열자, 핑크색 핀 한 쌍이 보였다.

"이거…… 헤어핀인가요?"

"맞아. 언제나 앞머리가 얼굴을 가리고 있으니까."

그러니까 이거, 라고 말하며 헤어핀을 가리켰다.

"모양이 왠지 포와링 같지?"

요컨대 타원형에 핑크빛이라는 소리지만.

귀여우니까 상관없잖아.

"……고맙습니다!"

아코는 양손으로 상자를 꼬옥 쥐며 말했다.

다행이다. 좋아해줘서. 결코 싫어하지는 않았다.

"기왕이니까 달아줘도 될까?"

"아, 네."

헤어핀을 하나씩 양쪽에 달았다.

너무 머리를 높이 올리지 않고, 옆으로 밀어낼 뿐.

부드러운 머리카락을 고정시키자, 예전보다 조금 얼굴이 잘 보이게 되었다.

"응. 귀엽네."

아코가— 라고 말하지는 않았기 때문에 자화자찬처럼 돼버렸군

전해진다면 좋겠는데.

"저, 저기, 루시안."

그때 아코가 허둥지둥 자기 가방을 뒤졌다.

"이거, 괜찮다면……."

봉투에 들어간 부드러운 포장물을 건네받았다.

"저도, 일단 준비를 했거든요."

"받아도 돼?"

"받아주지 않으면 울 거예요."

"고마워!"

아코도 준비해줬구나. 설마 나도 받을 줄은 몰랐다.

분해! 하지만 기뻐!

포장을 뜯자, 그곳에는 가느다란 털실로 세밀하게 짜인 머플러가 들어있었다.

기성품이 아니다. 전부 손뜨개질이다.

왜냐하면 Rusian이라는 글자가 적혀 있었으니까.

"시간이 없어서 제대로 된 건 못 만들었지만…… 루시안의 머플러, 풀려 있어서요."

"아…… 그렇구나."

같이 감고 있던 머플러, 끝부분이 조금 풀려 있었지.

쓸 수는 있으니까 딱히 신경 쓰지는 않았지만, 눈여겨보고 있었던 건가.

"근데 제대로 만든 것처럼 보이는데…… 언제부터 뜬 거야?"

"선물교환 이벤트가 시작된 무렵부터요."

"날짜 빠듯하잖아! 잘도 완성했네."

"머플러는 간단한데요?"

그건 잘하는 사람의 말이야.

그보다 그 탓에 계속 졸려 보였던 건가.

말을 하라고. 정말, 스토커 탓이라고 생각해서 걱정했잖아. 나 참.

"고마워. 감아 봐도 될까?"

"물론이죠."

목에 빙글 둘러봤다.

생각보다 꽤 길었던 그 머플러는 두 번 감아도 아직 여유가 있을 정도였다.

"기네."

"뜨기 시작했을 때는 둘이서 함께 감을 수 있는 게 좋을 것 같다고 생각해서……."

"지금은 아닌 것 같다는 투로 말하지 마."

"그러네요."

헤헷 하고 웃는 표정에는 힘이 없었다.

그런 우리 앞에 하얀 것이 두둥실 내려왔다.

"……눈인가? 올해에는 처음 보네."

"첫눈은 꽤나 전에 내렸다고 하는데…… 보지는 못했었죠."

"우리한테는 첫눈이네."

아주 조금, 드문드문 내리고 있을 뿐인 눈.

하지만 일단 화이트 크리스마스다.

나무에 장식된 일루미네이션의 광채 탓에 작은 눈도 빛나는 것처럼 보였다.

이렇게나 로맨틱한 밤.

나도 알 수 있을 정도의 시추에이션인데도 아코의 표정은 어두웠다.

"……저기, 아코."

적어도 나만은— 그런 오기를 부리면서 힘껏 밝은 목소리를 유지하며 물었다.

"오늘 즐겁지 않았어?"

"……네?"

"마지막 때부터 줄곧 상태가 이상했었으니까."

뭔가를 고민하는 듯한, 망설이는 듯한, 그런 느낌이었다.

평소라면 파고들어올 만한데도 아무것도 하지 않았다. 평소라면 응석을 부렸을 텐데 응석을 부리지 않았다.

왠지 평소와는 다른, 하고 싶은 걸 하지 않는 아코.

"생각하던 것과 다르다면, 내일 또 다시 하면 되는데."

"그렇지 않아요!"

고개를 힘껏 내저었다.

검은 머리에 하얀 눈이 닿고, 곧장 사라졌다.

"즐거웠어요. 굉장히. 이렇게 즐거운 크리스마스는 처음일 정도로요."

아코는 살며시 웃으며 작은 목소리로 말을 이었다.

"왠지 거짓말 같았어요."

"거짓말이라고 생각한다면 2차라도 가자고 전원한테 문자 보낼까? 차가 그대로 돌아올 것 같은데."

"거, 거기까지는……."

아코는 아하하, 하고 웃으며 얼버무렸다.

"…………."

"………………."

대화가 멈췄다.

하지만 그대로 조용히 그녀를 바라봤다.

상태가 이상해. 무슨 일이 있었던 거야? 말해봐.

그런 식으로 몰아세우고 싶었던 건 아니다.

하지만 이렇게 둘만 있으니까, 나에게는 분명 말해줄 것 같았다.

그런 기대가 있었다.

"……메일, 다시 읽어봤어요."

아코가 발밑을 바라보며 툭, 말을 던졌다.

"메일?"

"인스턴트 메일을……."

"결혼 활동 스토커 여자한테서 온 거?"

"……네."

"그러니까 그런 건 남겨두지 말라고 했잖아."

말해봤자 읽어버리는 녀석이지만, 그렇기 때문에 신경 쓰지 않는 편이 좋은데 말이지.

"여러 가지 것들이 적혀 있었어요……."

아코는 머리카락 끝을 매만지며 고개를 조금 들어 내 가슴 부근으로 시선을 보냈다.

"루시안하고는 태어났을 때부터 함께였다고 적혀 있었어요."

"자기 설정을 밀어붙이는 착각녀네……."

"다른 사람이 들어갈 여지는 없다고 했어요."

"내 마음은 무시하고 자기 상상을 멋대로 지껄이기는."

"언제나 오빠를 보고 있다고 했어요."

"민폐인 것도 정도가 있지."

"정말 좋아한다고 했어요."

"…………그, 그러냐."

설마, 설마 싶기는 하지만.

아코도 이러니저러니 해도 자기 생각에 몰입하는 녀석이니까, 스토커의 말에 영향을 받아서 조금 몸을 뺄 생각인 건— 아니겠지?

하지만 설마 그런, 나와 헤어질 생각이라거나, 그럴 리가.

내 불안한 마음이 전염됐는지, 아코도 불안한 목소리로

말했다.

"생각하고 말았어요."

확 올려다보며, 나와 시선을 맞추고.

긴장감으로 굳어진 나를 향해, 떨리는 목소리로 말했다.

"루시안, 저는 민폐였나요?"

"……엥?"

민폐인 건 언제나 그렇지— 라고 농담을 할 분위기는 아니었다.

"……무슨 의미로 한 소리야?"

"그게…… 지금까지 한 일을 생각해 보고, 루시안에 대해 생각해 보니까……."

부스럭, 모래를 밟는 소리.

"제대로 결혼했으니까 부부라고 생각했어요. 게임이나 현실 같은 건 상관없이, 정말 좋았고, 부부라고 생각했는데— 그치만 루시안은 계속 부정했고……."

스읍 하고 약간의 호흡소리가 들려왔다.

아코는 촉촉한 눈동자로 나를 바라보며 말했다.

"혹시 저도, 제가 멋대로 생각한 설정을, 착각으로 밀어붙이는 건가 해서……."

"뭐……."

등골이 오싹 굳어졌다.

몸은 추운데, 엄청난 기세로 식은땀이 흘렀다.

"무, 슨, 소리야."

순간 나왔던 떨리는 목소리를 눌러 참았다. 바로 말을 고쳤다.

"너하고는 달라, 전혀 달라."

"그치만, 루시안은 언제나 현실과 게임은 다르다고……."

"그건 그렇지만!"

"루시안의 마음을 무시하고, 제 생각에만 빠져서……."

"그렇지 않아."

"언제나언제나 루시안한테 가서 방해만 하고……."

"방해라니……."

"저도 그 사람과 똑같다는 생각이 멈추질 않아서……."

당장에라도 울 것 같은 목소리였다.

하지만 울지는 않았다.

울지 않게 되었다.

타인의 말을 들으며 자신을 돌이켜볼 정도로, 아코는 변했다.

"…………."

말하고 싶은 것만 말하고 도망치던 아코가, 지금은 도망치지 않고 제대로 있었다.

민폐였나요? ―그 의문에 대한 대답을 기다리고 있었다.

나는 전혀 변하지 않았다.

중요할 때에 전혀 말이 나오지 않는다.

불안감으로 울고 있는 아코에게 무슨 말을 해야 좋을지 모르겠다.

좋아하는 사람에게 해줄 말이 없다.

—하지만.

"나는 아코를 좋아해."

흘러나오는 것처럼, 그런 말만이 나왔다.

"—네?"

아코가 눈을 크고 동그랗게 뜨는 것이 조금 재미있었다.

일루미네이션이 비추는 것처럼, 울먹이는 눈동자가 반짝였다.

"정말, 민폐라니까. 아코는."

대답이 되지 않은 것 같아서 조금 말을 덧붙였다.

"이름으로 부르라고 하는데도 캐릭명으로 부르고, 매일 아침 교실에 오고, 그러다가도 드문드문 쉬고. 플레이어 스킬은 늘지 않고, 자주 채팅 치다 죽고."

"죄, 죄송해요…… 정말로 민폐만 끼쳐서……."

"그런 부분도 좋아해."

"으!"

허둥지둥 손을 흔들고, 오들오들 주변을 둘러보고, 그러다가 역시 나에게 시선을 돌린 아코는 필사적으로 물었다.

"저, 저, 루시안한테 멋대로 제 설정을 밀어붙여서……."

이야기를 돌리려 하는 아코에게 다시 한 마디를 덧붙였다.

"그런 아코도 좋아."

"~~으."

뺨이 화악 붉게 물들었다.

분명 나는 아까 전부터 새빨개진 상태겠지. 이대로 죽고 싶을 정도로 부끄러웠다.

굉장하네, 아코는. 언제나 이런 소리를 하니까.

"아무 말도 하지 못하게 된 아코도 좋아."

"루, 루시안!"

부끄러운 소리 하지 마! 라고 화를 내던 내가 연상되는 아코가 재미있었다.

"그치? 굉장하지?"

이번에는 내가 얼굴을 바라볼 수 없어서 위로 시선을 돌렸다.

구름 틈새로 드문드문 별이 보였다.

주변이 아무리 눈부시게 빛나더라도, 볼 수 있는 별은 있는 것 같다.

"아무리 불안하더라도, 자신감을 갖지 못하더라도, 후회밖에 없는 일이 있었다고 해도. 아코한테 좋아한다는 말을 듣기만 해도, 왠지 전부 받아들일 수 있다는 기분이 들거든."

현실의 나는 구제할 도리가 없는 찌질한 오타쿠라고 생각하던 나에게 아코가 준 것. 좋아한다는 말 하나만으로도, 마치 거짓말처럼 자신을 받아들일 수 있게 되었다.

그런 간단한 일을 나는 줄곧 모른 채 살아왔었다.

"아코도 그런 기분이 들지 않아?"

"그건…… 저기, 그치만, 역시 민폐였던 거죠?"

"굳이 대답을 하라고 한다면 그럴지도 몰라."

착각하고, 설정을 밀어붙이고, 곤란했던 때도 있었다.

민폐였던 적도 확실히 있다.

"하지만 의미가 달라. 그 녀석과는 전혀 달라. 아코가 나를 좋아하던 게 민폐였던 게 아니야. 돌발적인 기행이 민폐였던 거야."

"기, 기행인가요……."

"하지만 그 이상으로 도움을 받고 있고, 즐거운 일도 무척 많았고, 기쁜 일도 엄청 많았고, 무엇보다 아코가 좋으니까. 그런 건 전혀 신경 쓸 필요 없어."

"……네."

그 목소리에 담긴 안도하는 낌새를 보고 나까지 안심했다.

그런 걸 신경 쓰고 있었다면 빨리 말하면 좋았을 것을.

그리고 신경 쓴다는 말이 나와서 말인데.

—줄곧 신경이 쓰이던 건, 나에게도 있다.

"저기 말이야…… 나도 묻고 싶었던 게, 있는데."

물어도 되는지는 모르겠지만, 입 밖으로 꺼냈다.

시선을 내려서, 아직 빨개져있는 아코의 얼굴을 바라봤다.
뺨에 하얀 눈이 내려오고, 곧장 물로 변했다.
"아코는 말이야, 이런 생각 안 들었어? 내가 좀 더 멋있는 녀석이라면 좋았을 텐데, 같은 거."
"네?"
놀라는 아코에게 그대로 털어놓았다.
"너를 지켜줄 수 있는 녀석이었다면. 아무것도 하지 않아도 되고, 노력하지 않아도 되고, 고생할 것 같은 일은 전부 나한테 맡기라고 해줄 수 있는 녀석이었다면 좋았을 거라든가."
한번 숨을 들이쉬고 천천히 내쉬면서, 목소리가 떨리지 않도록 입을 열었다.
"『루시안』 같은 녀석이었다면 좋았을 거라든가, 같은 거."
묻고 말았다.
고백을 하라고 묻는다면, 이 이상의 고백은 없다.
내가, 나인 게 괜찮은 거냐고.
나 같은 녀석으로 정말 만족하느냐고.
줄곧, 줄곧 묻고 싶었지만, 물을 수 없었다.
"게임과 현실은 달라."
지금까지 몇 번이고 했던 말을 처음으로 진심을 담아 말했다.
"게임에서는 자신감이 있어. 분명 아코가 생각하는 이상적인 루시안으로 있을 수 있을 거야."

모두에게 인정받는 자신으로 있을 수 있을 거다.

"하지만 현실의 나는 아니야."

이렇게 아코의 본심을 듣는 것만으로도 손이 떨리는, 정말로 한심한 녀석이니까.

"루시안이 이런 녀석일 거라고는 생각 못했다며 아코가 환멸하는 게 아닌가 해서— 줄곧, 줄곧 불안했어."

만약 내 말을 들은 아코가 깔보듯이 웃어넘긴다면, 이 자리에서 혀를 깨물 생각이었지만— 그녀의 표정은 전혀 달랐다.

"아, 아니에요!"

아코는 조금 전 나처럼 놀라면서 크게 허둥대며 고개를 저었다.

"그럴 리가 없잖아요! 루시안에게 불만이라니…… 아뇨, 좀 더 응석을 받아줬으면 좋겠다거나, 조금 더 스킨십을 하고 싶다거나, 아무리 그래도 가드가 너무 단단한 거 아닌가 하는 건 엄청 불만이지만요!"

"……네 불만, 거기야?"

아코 너, 욕구불만이야?

"그건 루시안을 좋아하기 때문이에요! 루시안에게 환멸한 적은 한 번도 없어요!"

"……우와아."

그 말을 듣자마자 스스로도 놀랄 정도로 힘이 빠졌다.

"다행이네."

"그런 걸 신경 쓰고 있었나요? 말해주세요!"

"내가 할 말이야."

지금 이 짧은 시간동안 내가 얼마나 무서웠는데.

나 원 참.

네가 현실과 게임은 똑같다고 하니까 줄곧 불안했던 거잖아.

"하지만…… 저도 그래요."

아코는 살며시 웃으며 말했다.

"저도 무서웠어요. 이런 아이라고는 생각 못했다, 아코는 좀 더 귀엽고 근사한 여자아이였다, 이런 건 내 신부가 아니다, 그런 말을 듣는 게 아닌가 하고요."

"말할 리가 없잖아. 잘 들어."

머리에 쌓이려는 눈을 툭툭 털었다.

"현실의 아코도 굉장히 귀엽고 근사한 여자아이야."

"……조금이지만."

아코가 약간 헤실거리며 말했다.

"그렇게 생각할 수 있을지도 모른다는 생각이, 처음으로 들었어요."

"조금이라도 생각한다면 충분해."

나도 조금밖에 생각하지 않으니까.

"……끼리끼리 모인 글러먹은 부부네, 우리."

"……네?"

"생각하는 게 똑같구나, 해서."

그랬다. 똑같다.

나는 현실의 나에게 자신감이 없었다.

그래서 환멸당하고 싶지 않아서, 현실과 게임은 다르다고 주장해왔다.

아코도 현실의 자신에게 자신감이 없었다.

그래서 게임의 자신만을 봐줬으면 해서, 현실과 게임은 똑같다고 주장해왔다.

정말, 깜짝 놀랄 정도로 끼리끼리 모인, 글러먹은 부부다.

"천천히라도 좋으니까."

머리에 얹은 손을 천천히 뺨으로 내리면서 바라봤다.

"내가 좋아하게 된 아코를, 아코도 좋아해줬으면 좋겠어."

아코의 뺨은 차가웠다. 차가운 내 손보다 훨씬 차가웠다.

떨고 있는 게 아코인지, 아니면 나인지 모를 정도로.

"그럼……."

그런 내 손 위에 아코가 살짝 손을 얹었다.

"제가 좋아하게 된 루시안도, 좋아해주세요."

"……루시안, 말이야?"

"네."

그 말은 놀랄 정도로 깊숙하게 마음속으로 들어왔다.

현실에서는 아코를 지키지 못한다는 분한 마음을 품은 것도.

지금이라면 분명 괜찮을 거라는, 그런 생각이 들 정도로.

"알았어. 앞으로 조금 노력해볼게."

"저도 조금 노력해볼게요."

에헤헤 웃는 아코의 곁에 조금 다가붙었다.

그동안 여자아이에게 다가가는데도 자연스럽게, 라는 말을 쓰는 사람을 납득할 수 없었다.

하지만 정말로, 몸이 멋대로 끌려들어가듯이 움직였다.

"……아코."

의식해서, 캐릭터 이름이 아니라 현실의 이름인 것처럼 불렀다.

전해졌으리라 기대하면서, 그녀를 응시했다.

아코가 주저하면서 천천히 입을 열었다.

"……히데키……?"

그리고 이름을 불렀다.

"……왜 의문형인데."

"이름을 부르려니까 좀처럼 진정이 되질 않아서…… 이상했나요?"

"아냐. 아코다워."

아코다워서 기뻤다.

기뻐서 좀 더 다가가고 싶어졌다.

그녀의 얼굴이, 숨결이, 입술이 다가왔다.

방해된다고 생각하던 앞머리를, 내가 건네준 헤어핀이 고정하고 있었다.

"…………으."

내가 다가오자 꼬옥 눈을 감은 아코가 귀여웠다.

그대로 얼굴을 내밀고—.

"오빠아아아아아아아아아아아아아아! 안 돼에에에에에!"

비명소리가 들렸다.

아마도 내 뒤쪽에서.

감았던 눈을 뜨자, 아코는 벌써 그쪽으로 고개를 돌리고 있었다.

아아아아아아 정말! 분위기가 엉망이 됐잖아! 전부 망했어!

"젠장, 뭐야. 누구야!"

짜증을 내면서 소리가 난 쪽을 돌아봤다.

그곳에는 짧은 머리를 흐트러트린 채 필사적인 표정으로 우리를 노려보는 조그만 사람이 보였다.

얼굴 전체로 걱정과 분노를 나타내는 듯한, 굉장히 알기 쉬운 그 표정이 매우 익숙했다.

옅은 갈색 머리카락이 원래 색깔인 것도 나는 안다. 조금 커다란 더플코트가 올해 사서 즐겨 입는 거라는 것도 안다.

그리고 무엇보다도, 저 녀석이—.

"오빠, 빨리 그 사람한테서 떨어져!"

저 녀석이 내 여동생이라는 걸, 잘 알고 있었다.

"미즈키…… 너 뭐하는 거야."

내가 좀처럼 돌아오지 않아서 정말로 마중을 나온 건가?

우리가 여기 있는 걸 잘도 알아냈네.

"……역시, 그랬던 거네요."

내 품 안에 있었던 아코가 미즈키 쪽으로 한 걸음 내딛었다.

그리고 미즈키에게 지지 않을 정도로 진지한 얼굴로 말했다.

"당신이— 당신이 슈슈 씨였던 거죠!"

"…………."

—뭐?

아니, 설마. 슈슈는 자칭 여동생인 35세 독신이고, 이 녀석은 진짜 여동생인 15세 중학생이라고.

"무슨 소리야, 아코. 이 녀석은 내 여동생이고, 미즈키라고 하는데……."

"반가워요, 아코 언니. 오빠는 돌려받겠어요."

"안 돼요. 루시안은 제 거에요."

"너희들 사람 말 좀 들어!"

왜 또 나를 무시하고 수수께끼의 신부, 시누이 배틀을 시작하는 거냐고!

……또?

또라니, 이상한데?

두 사람은 초대면……이 아니었어……?

"사람 말을 들어야 하는 건 오빠 쪽이야!"

곤혹스러워하는 나를 향해 미즈키가 말했다.

"걱정되서 보러 왔는데, 아니나 다를까 스토커에게 말려들어서 키스까지 하려고 하다니! 제대로 결판내겠다고 했었잖아!"

너, 일부러 방해한 거냐!

이게 아니라, 아니, 그럼 정말로— 미즈키가?

"네가…… 네가, 슈슈였던 거야?"

"……응? 그런데? 무슨 소리야?"

이 타이밍에 이제 와서 무슨 소리를, 같은 표정이었다.

거짓말이지? 이건 말도 안 돼.

그럼 미즈키가, 내 여동생이—.

"네가— 네가 나를 스토킹했던 거냐?!"

"에에엑?! 아, 아니야!"

"게다가 35세 독신이고, 온라인에서 젊은 남자를 물색해서 결혼을 꾸미고 있었던 거냐?!"

"내 캐릭터는 대체 무슨 취급을 받는 거야?!"

"……어쩌면 그렇지 않을까, 같은 이야기가 발전해서 정신이 들고 보니 슈슈는 그런 캐릭터가 됐었어."

온라인 게임에서는 종종 있는 일입니다.

"너무해! 오빠를 스토커한테서 해방시켜주려고 그렇게나 노력했는데!"

"아니, 그러니까 스토커는 너잖아."

"내가 오빠를 스토킹할 리가 없잖아!"

……그야 그런가. 여동생이니까.

그럼 대체 뭐가 어떻게 된 거야.

혼란에 빠진 나에게 척 손가락을 내민 미즈키가 힘차게 외쳤다.

"오빠의 스토커는 저 사람이야!"

어…… 아코?

"저, 전가요?!"

"왜 아코가 스토커인데?"

아니지? 아니죠? 식으로 아코와 서로 얼굴을 마주 봤다.

"아코는 딱히 내 스토커 같은 게 아닌데? 왜 그렇게 되는 거야."

"그치만 게임에서 결혼했으니까 현실에서도 부부라는 망상을 주장하고, 착각한 채로 계속 엉겨 붙고, 주변 공작을 벌여서 바깥 해자를 묻고, 가족한테도 소개하고, 최종적으로는 책임을 지게 만들 셈이잖아! 그건 어딜 봐도 스토커인걸!"

"…………."

"………………."

무심코 아코에게서 시선을 돌리고 말았다.

어어, 그래, 이건 언어의 매직이라는 녀석이고, 말은 하기 나름이라는 말도 있잖아.

"……구, 구체적으로 반박하기는 조금 힘들지만, 그건 아니야, 오해라고!"

“만약 아까 좋아한다는 말을 듣지 못했다면, 저는 여기서 죽었을 거라고 생각해요…….”

“정신 차려, 아코!”

“자, 떨어져. 오빠! 그 아코 언니는 마녀란 말이야!”

“그만둬, 미즈키!”

“오빠 비켜! 그년을 죽일 수가 없잖아!”

“그건 제가 벌써 했거든요!”

“게다가 반년 이상 전에 말이지!”

완전 엉망진창이야!

누가, 누가 좀 구해줘!

남자 좀 불러줘!

“이야기는 모두 들었어!”

그때 옆에서 날카로운 목소리가 들려왔다.

“니시무라! 아코! 내가 왔으니까 이제 괜찮아!”

익숙한 목소리와 함께 조그마한 트윈테일이 이리로 달려왔다.

“세가와, 어째서…….”

“루시안, 오래 기다렸나?”

“마스터도…….”

미즈키의 반대쪽에서 두 사람이 다가왔다.

왜 두 사람 다 돌아가지 않은 거야?

“어, 어어……?”

세가와는 곤혹스러워하는 미즈키에게 싱긋 웃으며 말했다.

"나는 세가와 아카네. 저기 있는 니시무라…… 니시무라 오빠랑 같은 반 친구야. 잘 부탁해."

"그가 다니는 마에가사키 고등학교의 학생회장을 맡고 있는 고쇼인 쿄우다."

"아. 네. 잘 부탁합니다."

낯선 선배가 등장하자 미즈키가 꾸벅 고개를 숙였다.

거기서 수수께끼의 프렌들리함을 발휘하지 않아도 돼.

"두 사람 다 어떻게 된 거야?"

"너희 둘의 모습이 묘해 보여서 몰래 엿보고 있었다만, 설마 하던 키스신에 슈바인이 굳어버려서 말이지. 늦게 나와서 미안하다."

"시, 시끄러워. 안 굳어졌거든! 그보다 니시무라, 조금 전 그건, 저기…… 정말로 했어?"

"확인해볼 것도 없지 않나."

"우리가 있던 위치에서는 안 보였잖아!"

"아니, 간당간당할 때 방해를 받아서 못했는데……."

정말로 밀리미터 느낌이었다.

살짝 바람만 불었다면 했을 텐데, 정도로 닿을락 말락 했었단 말이지.

"……하아, 못했구나."

안심하지 말라고.

동료가 어른의 계단을 오르는 게 싫은 타입이냐, 너.

"마, 맞아요! 지금껏 없을 정도로 좋은 분위기였는데! 지금이라도 늦지 않아요! 쪼~옥 하자고요!"

"미안, 여동생이랑 친구 옆에서 하는 건 조금."

"우우우우우!"

아코가 퍽퍽 발을 굴렀다.

그 옆에는 후우, 하고 안도한 표정을 지은 세가와와 왠지 즐거운 듯이 우리를 지켜보는 마스터.

그리고 미즈키가 의아한 듯이 우리를 응시하고 있었다.

"……오빠, 의외로 인기 많아?"

"인기 없어……."

긴장이 풀리고 힘이 빠져서 그런 말밖에 나오지 않았다.

대체 뭐가 어떻게 돌아가는 거야.

"뭐, 이야기를 돌리겠다만. 미즈키라 불러도 될까? 네가 슈슈였구나."

"처음부터 그렇게 말했었는데요?"

"……응. 초대면 때부터 오빠라고 불렀었지."

그랬었지. 미즈키는 처음부터 그렇게 말했었지.

설마 현실 여동생이 게임에 있을 거라는 생각은 못한다고.

결혼한 상대가 현실의 어머니였다는 공포담은 들은 적 있지만.

"미안, 난 왠지 자칭 여동생 캐릭터인 착각계라고 생각했었어……."

"에에에에에엑?!"

게다가 35세 독신인 줄 알았다.

"저는 중간부터 진짜 같다는 생각을 했었는데요……."

그래서 아코는 그다지 경계심이 없었던 거구나……. 말을 해, 그런 건 말을 좀 하라고…….

"확실히 튜토리얼은 같이 했었으니까, 방법을 가르쳐준 건 나지……."

"애초부터 컴퓨터 쓰는 법도, 인터넷 쓰는 법이랑 이 게임 정도밖에 가르쳐주지 않았는걸."

왠지 자주 거실 노트북을 쓰는구나~ 싶더라니…… 숨 돌리는 겸 해서 온라인 게임을 하고 있었던 거구나…….

"그야 아코네 집을 조사하는 것도 간단한가…… 여동생이니까……."

"간단하지 않았어…… 스토커를 상대로 헤실거리는 오빠 뒤를 따라다니는 데 수험생의 하루를 낭비했다고!"

"데이트 하던 날에 따라다녔던 거냐?!"

"오빠네가 역에서 헤어졌을 때 아코 언니의 집까지 확실히 조사했었어."

아코네 집 정도는 내가 알고 있다고…… 이게 아니라, 뭐야, 이 쓸데없는 노력.

"그렇게까지 할 정도로, 아코가 정말로 스토커라는 착각을 했던 거냐…….”

“착각…… 착각이야?”

미즈키는 아코를 빤히 바라보며 얼굴을 찡그렸다.

“아코 언니랑은 게임에서 알게 됐고, 게임에서 친해졌으니까 결혼한 거지? 그런데 현실에서도 사귀다니, 이상하잖아.”

“이상하지 않아요. 제대로 사랑을 나누는 교제라고요.”

“게임 안에서 좋아하게 됐다고 했었잖아.”

“게임과 현실이 뭐가 다르다는 건가요!”

“전혀 달라!”

어딘가에서 들은 것 같은 말다툼이었다.

옆에서 보면 나와 아코는 이런 식으로 보이는 건가.

아코에게 반박하는 여동생을 보고 처음으로 객관적으로 보게 됐다.

“……응. 이거, 사이좋게 보이네.”

“그렇지?”

“안 좋아!”

“안 좋아요!”

“이야아, 정말로 사이좋아 보여. 자매처럼.”

후우, 하고 한숨을 내쉬며 미즈키의 어깨에 손을 얹었다.

그대로 살짝 당겨서 아코 앞에서 내 쪽으로 끌어들였다.

“있잖아. 미즈키.”

“……뭔데? 오빠.”

“나를 위해 힘써줬는데 미안. 아코와의 만남은 확실히, 조금, 그게…… 조금 거시기했다고 생각하지만.”

“루시안?!”

그렇게 울어봤자 실제로 그랬으니까 어쩔 수 없잖아.

그 점에 대해서는 오해한 미즈키에게 잘못이 없다. 전혀 나쁘지 않다.

“내가 쑥스러워서 제대로 말을 하지 않았던 게 잘못이야.”

내 탓이다.

처음에 아코 이야기를 했을 때, 솔직한 마음을 전해야만 했다.

“나는, 아코가 좋아.”

“게임 속 이야기잖아?”

“그런 건 그다지 관계가 없어.”

말하는 게 꽤 부끄럽긴 하지만.

“게임 속에서 만나지 않았더라도, 아코가 나를 좋아하지 않았더라도, 나는 분명 아코를 좋아하게 됐을 거야.”

아코의 어깨를 안아서 미즈키 앞까지 데려오며 말했다.

“게임이라든가 현실이라든가, 그런 건 상관없이…… 얘를 좋아하는 거야.”

“루시안…….”

화색이 도는 표정으로 나를 바라보는 아코에게 고개를 끄덕인 뒤에 미즈키의 눈을 바라봤다.

"될 수 있으면 친하게 지내줘."

"우우, 그치만…… 원래 착각계 스토커였다는 건……."

"그게 아니라니까."

완고한 미즈키의 말 속에서 오빠를 뺏긴 여동생의 질투심 같은 것이 포함돼있다는 기분이 들었다.

미즈키에게 나는 태어났을 때부터 곁에 있던 사람이니까.

하지만 나도, 여동생을 누군가에게 주게 될 때는 똑같은 말을 하지 않을까 싶다.

이 녀석이 태어났을 때부터, 나는 줄곧 보고 있었으니까.

"부탁할게. 미즈키."

그런 여동생에게, 나는 웃으며 말했다.

"나는 언젠가 애랑 결혼할 거라 생각하니까."

"엣……."

놀라는 미즈키에게 말을 이었다.

"미래의 새언니라고?"

"……우우우우우."

미즈키는 작게 신음하면서 아래를 보며 고개를 내저었다.

역시 무리인가. 그런 불안감이 느껴지는 동작.

하지만 잠시 뒤.

"—오빠는."

미즈키가 작게 말했다.

"매운 걸, 좋아해요. 그것도 엄청 매운 게 아니라, 약간

맵지만 맛있는 정도…… 카레라든가, 마파두부라든가…….”

"……미즈키?"

느닷없이 무슨 소리야?

그런 생각을 하고 있었는데 아코의 반응은 빨랐다.

"아…… 네, 지금 메모할게요!"

"그리고, 단 요리는 그다지 좋아하지 않아요. 단 호박이나, 단 달걀부침이나, 고구마 같은 건 안 돼요. 그치만 디저트는 단 걸 좋아해서, 귀찮아요."

"그렇군요! 그러고 보니 밤밥의 리액션이 미묘했어요. 그랬던 거군요."

"저, 저기……? 너희들……?"

뭔가 서로 소통 중인 두 사람에게 버려진 기분이 드는데.

"…………하아."

그런 나를 빤히 바라보던 미즈키는 고개를 들어서 아코를 바라봤다.

"이 사람, 남들을 잘 보살펴주는 주제에 자기가 한 일은 그다지 기억하질 않고, 제대로 생각도 안 하고, 성가신 사람을 좋아하면서 자기가 가장 성가신, 변변찮은 오빠지만……."

야, 그렇게까지 말할 필요 없잖아.

솔직히 조금 상처받은 나는 아랑곳하지 않고…….

"그치만, 제 소중한 오빠니까요."

미즈키는 그렇게 말하며 꾸벅 고개를 숙였다.

"……오빠를, 잘 부탁합니다."

"슈, 슈슈!"

감격한 아코가 미즈키를 꼬옥 안아주면서 거의 눈물을 글썽이며 말했다.

"저를 새언니라고! 새언니라고 불러도 돼요!"

"…………에이."

잠시 고민한 뒤, 미즈키는 진심으로 싫다는 듯이 말했다.

"그건 싫은데……."

"어째서인가요!"

아코의 고함소리가 공원에 울려 퍼졌다.

이거야 원, 참으로 기나긴 크리스마스였다.

겨우, 겨우 결판이 났군.

"그럼 이제 늦었으니까 돌아갈까."

일단 집에 들려서 미즈키를 보내주고, 그리고 아코를 보내주자고 생각한 나에게 미즈키를 놓아주고 아코가 다가왔다.

"루시안, 루시안."

"응? 왜 그래? 아코."

아코는 아직 눈물이 남아 촉촉한 눈동자로 나를 힘껏 바라보고 있었다.

"루시안, 저도 같은 마음이에요."

그녀는 젖은 눈동자에 맹렬한 불을 피우며, 그렇게 말했다.

"……같은 마음?"

"저도 루시안을 정말 좋아하니까요!"

"…………엑."

"설령 게임 속에서 만나지 못하더라도, 저희는 부부잖아요!"

앗, 이거 망했다.

미즈키에게 한 설득이 아코에게 크리티컬로 먹혔어.

"고백이 너무 열렬하잖아……."

"언젠가 결혼한다고 말했으니 말이지."

"자업자득이야, 정말."

"사랑해요! 결혼하죠, 루시안!"

"우와아아아아, 조금만 더 있으면 됐는데에에에에!"

울상을 지으며 올려다본 하늘.

구름은 꽤 숫자가 줄어들어서 검은 하늘이 모습을 드러내고 있었다.

눈은 이미 그쳤다.

에필로그
흑발의 아코
And you thought there is Never a girl online?

다음날. 12월 25일.

일본에서는 크리스마스 이브인 24일이 메인 취급을 받지만, 원래는 이날이 크리스마스 당일이다.

◆루시안 : 그렇게 됐으니까 잘 설명해줘.

◆슈슈 : 그 연락, 문자나 라인이면 되잖아…….

◆루시안 : 이게 간단하니까.

마침 로그인해있던 슈슈에게 가족한테 연락해줄 것을 부탁한 나는 크게 한숨을 내쉬었다.

◆루시안 : 딱히 내가 돌아가지 않더라도 두 분 다 신경 안 쓰지?

◆슈슈 : 그렇지 않아. 엄마는 쓸쓸해하던걸.

◆루시안 : 그래?

크리스마스에 아들이 없더라도 딱히 신경 쓰지 않을 거라 생각했는데.

◆루시안 : 아빠는 왠지 시무룩하고.

◆루시안 : 아버지한테는 내가 귀여운 신부를 찾아냈다고 말해줘.

◆슈슈 : 그런 말을 어떻게 해…….

이거야 원, 이라는 마음이 글자 너머에서 전해지고 있었다.

◆슈슈 : 그러고 보니, 그 아코 씨는 뭐해? 없어?

◆루시안 : 아코라면.

잠깐 고민하고, 채팅을 쳤다.

◆루시안 : 내 옆에서 자고 있어.

◆슈슈 : 정말! 여동생한테 그런 소리 하는 거 아니야!

▶슈슈가 로그아웃했습니다.◀

그치만 말이지, 농담거리가 아니라 진짜로 옆에서 자고 있거든.

"일어나~, 아~코~."

그래서 침대에서 눈을 감고 있는 아코에게 말을 걸었다.

"으음, 잠을 깨우는 키스를 해주면 일어날게요~."

일어나 있잖아.

최고로 분위기가 좋은 타이밍을 놓친 다음날, 이런 별것도 아닌 상황에서 퍼스트 키스를 하겠냐, 바보.

"리커버리라고 외치면서 전력으로 촙 날린다~."

"아픈 건 싫어요!"

음냐음냐 신음하면서 아코가 침대 위를 굴렀다.

"크리스마스 끝나가는데."

"벌써 그런 시간인가요~."

겨우 꾸물꾸물 일어났다.

앤 진짜 내 앞에서 너무 너절하네.

하지만 내가 너절하게 있어도 전혀 화를 안 낸단 말이지.

그쪽이 고맙게 느껴지는 건 역시 끼리끼리 부부라서 그런가.

"그보다 이제 와서 하는 말인데, 이제 막차 떠났거든? 나 여기서 자도 돼?"

"물론이죠!"

아코는 그러게 말하며 타오르는 눈동자로 주먹을 쥐었다.

"설마 부모님이 크리스마스 이브도 모자라서 크리스마스 당일에도 집에 들어오지 않다니…… 저도 부부의 시간을 보내지 않으면 진 것 같잖아요!"

좀 지라고. 그쪽은 몇 년 동안 선수생활을 하고 있잖아.

"뭐, 크리스마스니까. 두 분이 오붓하게 보내는 것도……."

부우웅 하는 차 소리가 났다.

"나쁘지는…… 않……겠지?"

그리고 집 앞에서 멈췄다.

"응?"

"아, 우리 집 차 소리네요."

"에에엥?!"

이거 위험한 거 아니야?!

오늘 여기에 온 건 부모님한테 허락받은 게 아닌데?!

그리고 얼마 지나지 않아 철컥철컥 열쇠를 꽂는 소리가…….

"돌아오셨네요."

"돌아오셨네요, 가 아니야! 어쩌지, 창문 밖으로 도망칠까."
"에이, 그치만."
아코가 방문을 열자 현관에서 말소리가 들려왔다.
"어머, 남자 신발?"
"히데키가 온 건가?"
"벌써 들켰는데요?"
우와아아아아아, 어째서 난 신발을 숨기지 않았던 거야!
바보! 나는 바보야!
"인사하자고요. 아빠도 루시안과 천천히 이야기를 하고 싶다고 했잖아요."
"크리스마스에 여자 집에 굴러 들어와서 온라인 게임을 하는 남자라고 소개하고 싶지 않아!"
"약혼 이야기도 확실히 해놓지 않으면 안 되잖아요."
"그건 진짜 하지 마! 정말로 하지 마!"
장난이 아니라고!
아코의 터무니없는 언동에 나는 새파래졌다.
우리는 평소나 다름없었지만, 그럼에도 아주 약간 변한 점이 있다면—.
"농담이에요~."
예전이었다면 진심으로 했을 말을 농담이라 하며 웃는 아코.
아코는 장난스럽게 웃으며 머리에 꽂아놨던 헤어핀을 살며시 뽑았다.

"응."

그리고 내려온 앞머리를 조금 매만지더니 소중하게 핀을 다른 곳에 놓았다.

"자자, 루시안. 이상하게 시간을 비워두는 편이 의심받을 텐데요?"

"어, 어어."

내가 아코에게 다가가서 그런 걸지도 모르지만.

아코도 조금은 나에게 다가와준 느낌이 들었다.

두 사람의 시간에만 쓰기로 한 선물이, 그 상징인 것처럼 빛나고 있었다.

■작가 후기

군단 채팅으로 보고합니다.

오랜만입니다. 설마 없을 거라 생각하지만 혹시 만에 하나 처음 뵙는 분께는 처음 뵙겠습니다.

키네코 시바이입니다.

『온라인 게임의 신부는 여자아이가 아니라고 생각한 거야?』도 드디어 Lv.6입니다.

정말로 전직이 가능한 Lv.10까지 갈 수 있지 않을까 싶긴 합니다만, 이 시리즈의 목표는 『온라인 게임의 신부는 여자아이가 아니라고 생각한 거야? 환생 Lv.1』이므로, 남은 권수는 94권이 됩니다. 계속해서 힘내야겠네요.

점점 작가 본인만 즐기고 있는 본작입니다만, 여러분도 함께 즐겨주신다면 다행이겠습니다.

그런데 사담입니다만, 매번 이야기하고 있는 『옛날에 게임 안에서 결혼했는데 여자랑 바람이 나서 이혼한 여자 캐릭터 씨』에 대해서입니다.

실은 『여캐한테 신부를 NTR당했다』는 한심한 이야기를 친한 온라인 친구에게 이야기한 적이 있습니다. 그는 웃지도 않고, 놀라지도 않고, 조용히 이렇게 말했습니다.

『……하긴, 그럴 거라 생각했어.』

그렇게 널리 알려졌다면 이미 나쁜 건 제가 아닌가 하는 생각이 들었습니다.

이제 결혼에 대해서는 포기했습니다.

군단 채팅으로 보고를 마칩니다.

스파이 활동이 끝난 즈음해서 사죄와 감사를.

일러스트의 Hisasi 씨. 연재도 시작되어 바쁘신 가운데 이번에도 모두의 귀여운 모습을 그려주셔서 정말로 감사합니다.

이번에는 민폐를 끼치지 않았네요, 라고 쓰고 싶었는데 변함없이 커다란 민폐를 끼치고 만 담당님. 죄송합니다. 죄송합니다. 감사합니다.

코미컬라이즈를 그려주신 이시가미 카즈이 씨. 다들 귀여운 데다 개그 소재가 이것도 저것도 모두 재미있고 귀여워서 정말로 즐겁게 보고 있습니다. 진심으로 감사드립니다.

그리고 이 책을 손에 들어주신 여러분, 감사합니다.

그럼 또 인연이 있다면 뵙도록 하죠.

키네코 시바이였습니다.

■역자 후기

안녕하세요. 불초 역자입니다.

작중에서는 크리스마스입니다. 이 후기를 쓰고 있을 무렵에는 이미 지나간 이야기네요.

온라인 게임에서 크리스마스는 일대 이벤트의 날이죠. 딱히 MMORPG가 아니라도 거의 모든 온라인 게임은 크리스마스에 이벤트를 합니다. 그만큼 대목이기도 하고, 고객을 모으거나 화제를 불러오기에는 절호의 찬스니까요. 제가 하는 몇몇 게임도 역시 예외는 아니었죠. 카드 뒷면을 준다든가, 스킨을 판다든가 하면서요. 정작 작중의 온라인 게임부 일동은 게임 속 이벤트는 대충 넘기고 현실에서 크리스마스를 만끽했습니다만…… 이래도 되는 겁니까. 전 농담 안하고 진짜로 게임이나 하면서 시간을 때웠는데(눈물).

그밖에는 지금껏 자신만의 고집을 밀어붙여서 기반을 단단히 다지던 아코에게 부메랑이 날아오는 이야기였다는 게 주안점이네요. 부메랑을 맞고 자신이 어떤 일을 해온 건지 깨달은 아코의 심경이 변하고, 그동안 은연중 드러나던 루시안의 불안감도 이제야 토로했다는 점에서 이야기의 터닝 포인트가 되었다는 느낌도 듭니다. 이젠 정말로 굳건한 커플이네요. 이러니저러니 하면서도 은근슬쩍 끼어들던 서브 히로인들이 도저히 끼어들 여지가 없는 듯. 특히 슈바인의 복잡한 마음은 과연 누가 위로해준단 말인가…….

그럼 이젠 부모님이 공인까지 해버린 이 커플이 앞으로 대체 어떤 소동을 벌일지 기대하면서, 이쯤 하도록 하겠습니다.

특별강좌

noob 아코와 루시안의 온라인 게임!

아코 : 슬슬 똑똑해진 기분이 드는 학습코너 제4회입니다!

루시안: 가르쳐줄 건 아직도 많이 남았는데?

아코 : 제 머리는 한계에요오…….

『이벤트』

아코 : 구체적으로 어떤 걸 이벤트라고 부르나요?

루시안 : 알기 쉽고 좁은 의미로 말하자면, 운영진이 기획한 대규모 행사가 온라인 게임의 이벤트인 셈이지.

아코 : 저희가 참가한 『크리스마스 이벤트』 같은 건가요?

루시안 : 그래그래. 그런 계절 이벤트가 많지. 그때그때 계절에 맞춰서 유저를 즐겁게 만들 수 있는 행사를 여는 거야. 크리스마스 이벤트는 그 대표적인 예시지.

아코 : 대부분의 온라인 게임이 크리스마스에는 이벤트를 하더라고요.

루시안 : 크리스마스는 현실에서도 일대 이벤트니까.

아코 : 참고로 말인데요. 넓은 의미에서 말하면 이벤트는 뭐가 되는 건가요?

루시안 : 으음…… 까놓고 말해서, 게임 안에서 시스템적으로 일어나는 것 모두가 이벤트야.

아코 : 그렇게 조잡하게 뭉뚱그려도 괜찮나요?!

루시안 : 예를 들어 『대화 이벤트』『이벤트 배틀』『이벤트 무비』『이벤트 아이템』『이벤트 맵』
—봐봐. 게임 측에서 준비한 일들이 관련되면 전부 이벤트라고 부르잖아.

아코 : 드, 듣고 보니…….

루시안 : 이거나 저거나 전부 이벤트라고 부르니까, 모르고 있다면 영문을 모르게 될 수도 있겠네.

아코 : 어째서 그렇게 부르게 된 건가요?

루시안 : 원래는 프로그래밍 관련 용어인데, 유저의 행동에 따라 리액션을 취한다는 개념을 이벤트라고 부르던 게 원류가 되었다고 하더라.

아코 : ………………네?

루시안 : ……요컨대 게임 안에서 일어나는 일은 전부 이벤트야.

아코 : 잘 알겠습니다!

To be continued?

『롤플레이, 역할 몰입』

아코 : ……이건 뭔가요?

루시안 : 롤플레이라는 건, 직역하면 『역할 연기』라고 하는데, 자신에게 부여된 역할을 정말로 그렇게 되었다고 생각하며 연기하는 걸 말해.

아코 : 연기하는 건가요?

루시안 : 맞아. 연기하는 거야. 나는 『루시안』이라는 아머 나이트를 연기하고 있고, 아코라면 『아코』라는 클레릭을 연기하고 있어. 그렇게 온라인 게임을 플레이하는 거지.

아코 : 어어, 저는 연기를 하는 게 아닌데요.

루시안 : 평범한 사람은 연기한다고! 그리고 역할 몰입은 거기서 한 발 더 나가서, 겉치레로 연기하는 게 아니라 완전히 본인인 것처럼 몰입해서 플레이하는 걸 말해. 가끔 본모습이 나오는 슈바인은 역할 몰입 초보자고, 당황해도 냐~ 라고 말하는 고양이공주 씨는 고참 같은 느낌이려나.

아코 : 저는 그대로인데 루시안은 다른 건가요?!

루시안 : 역할 몰입 초월자는 내버려두고, 나머지는 다음 시간에!

아코 : 기다려주세요! 중요한 이야기라고요!

온라인 게임의 신부는 여자아이가 아니라고 생각한 거야? 6

초판 1쇄 발행 2016년 4월 10일

지은이_ Kineko Shibai
일러스트_ Hisasi
옮긴이_ 이경인
일본판 오리지널 디자인_ AFTERGROW

발행인_ 신현호
편집부장_ 김은주
편집진행_ 최은진 · 김기준 · 김승신 · 원현선
편집디자인_ 양우연
국제업무_ 김현희
관리 · 영업_ 김민원 · 조인희

펴낸곳_ (주)디앤씨미디어
등록_ 2002년 4월 25일 제20-260호
주소_ 서울시 구로구 디지털로 26길 111 JnK디지털타워 503호
전화_ 02-333-2513(대표)
팩시밀리_ 02-333-2514
이메일_ lnovel.admin@gmail.com
L노벨 공식 카페_ http://cafe.naver.com/lnovel11

원제 netoge no yome wa onnanoko zya nai to omotta?
© KINEKO SHIBAI 2014
Edited by ASCII MEDIA WORKS
First published in 2014 by KADOKAWA CORPORATION, Tokyo.
Korean translation rights arranged with KADOKAWA CORPORATION, Tokyo, through KCC.

ISBN 979-11-5981-009-1 04830
ISBN 978-89-267-9843-0 (세트)

값 6,800원

*이 책의 한국어판 저작권은 (주)한국저작권센터(KCC)를 통한
KADOKAWA CORPORATION과의 독점 계약으로 D&C MEDIA(디앤씨미디어)에 있습니다.
저작권법에 의해 한국 내에서 보호를 받는 저작물이므로 무단전재와 복제를 금합니다.

*잘못된 책은 구매처에 문의하십시오.

L NOVEL

©2014 Bingo Morihashi／Illustration:Nardack
First published by KADOKAWA CORPORATION

이 사랑과, 그 미래 1~3권

모리하시 빙고 지음 | Nardack 일러스트 | 이진주 옮김

완전 불합리한 세 누나 밑에서 불우한 가정생활을 보내던 마츠나가 시로.
그 지옥에서 도망치기 위해 신설된 기숙 학교에 들어가기로 마음먹은 그는
기대를 품고 히로시마로 향한다. 알지 못하는 지역, 낯선 언어.
그리고 무엇보다도 그 누나들과의 부조리한 나날에서 해방되었다는
고양감에 젖은 시로였지만,
룸메이트가 된 오다 미라이는 복잡한 마음을 가진…… 여성?!
시로와 미라이, 두 사람의 기묘한 공동생활이 시작된다—.

『시노노메 유우코』 콤비가 보내는
망설임과 애절함 가득한 청춘 스토리.

라이트노벨의 새로운 빛! L노벨의 신간은 매월 10일에 발매됩니다. http://cafe.naver.com/lnovel11

NOVEL